CLAUDE CHABROL

PAR CHRISTIAN BLANCHET

COLLECTION DIRIGEE
PAR FRANCIS BORDAT

RIVAGES

A Jean-Claude Brisseau

L'auteur tient à remercier Francis Bordat, Jean Collet, Michel Dupuis, François Guérif, Jacques Kermabon, Jean-Pierre Pagliano, Frédérique et Patrick pour leur machine à écrire, Shawi et quelques amis pour leur patience.

Crédits photographiques :
Cinémathèque Française
Collection Abbas Fahdel

Recherches iconographiques :
Benoîte Mourot

ISBN : 2-86930-205-3
ISSN : 0298-0088

© Editions Rivages, 1989
5-7, rue Paul-Louis Courier - 75007 Paris
10, rue Fortia - 13001 Marseille

SOMMAIRE

Introduction 7
Chronologie de films 10

Chapitre I : LES FILMS

L'ÊTRE ET LE PARAÎTRE
La « Traversée des apparences » 14
Luis Buñuel 15
Du *Beau Serge* à *l'Escargot noir* 16

UN PREMIER BILAN : LE VRAI MAL
La Négation hitchcockienne 104
La Négation des « sans enfants » 105
Un mal définitif 107
L'Autre 108
La Connaissance de soi 110

Chapitre II : L'AUTEUR

LE DÉCOR CHABROLIEN
La Politique des auteurs 114
« La Honte de la famille » 116
Tourner, tourner encore, tourner toujours 120
Nécessité fait loi 122
Hélène, Charles et Paul 122
Le Bien-manger 123
L'Horreur et l'innocence : la province, la bourgeoisie,
l'argent et le vaudeville 124
Le Crime et la mort 125
Hitchcock 126
Le Respect du « petit sujet » 127
Le Polar : « petit sujet » idéal 127
L'Intrigue 131
Les Fantômes du chapelier et *Inspecteur Lavardin* . . 131
L'Equilibre 133
La Période pompidolienne 134

LE CINÉMA DE CHABROL
« Optimistes » et « ésotériques » 136
« L'Optimisme » de la Nouvelle Vague 137
Les Bonnes Femmes 137
Les « Motards ésotériques » 140
Une mise en scène toujours moderne 141
L'Expressionnisme chabrolien 142
La Mise en scène et le jeu de mots 146
L'Apologie de « l'ésotérisme » 147
L'Ecole de Landru 149
L'Humour 151
La Métaphore 154
« Le Moustique et le diplodocus » : *Masques* 155

LA MORALE ET LE CINÉMA
Le Regard du moraliste 158
Le Crédo du moraliste 158
Les « Lyriques » et leur mise en scène 159
Fritz Lang 162
Hitchlang 163
Drôles d'aveux 163
Plus que des vrais soupçons, des soupçons vrais . . . 164
Une projection sans point de vue 166
Se raconter 166
La Voix off 167
Des énigmes objectivées 168
Premiers atermoiements « lyriques » 169
Entre le discours et le regard 169
La Sensibilité contre l'esprit critique 170
L'Amour 172
Entre le discours sur l'amour et le regard amoureux . 173

EN GUISE DE CONCLUSION

La Réconciliation 176
Une affaire de femmes 178

QUELQUES REPERES BIOGRAPHIQUES
ET FILMOGRAPHIQUES

En résumé... 189
Production 191
Collaborations diverses (les principales) 191
La Télévision 192

UNE BIBLIOGRAPHIE SUBJECTIVE
. . . . 196

INTRODUCTION

Du temps des *Bonnes Femmes*, un éditorialiste accuse Chabrol de « tromper son monde ». Dans les années soixante (et alors que manifestement l'auteur se cherche), un critique sans doute nostalgique du Chabrol de la Nouvelle Vague accuse celui-ci de « n'avoir plus rien d'un cinéaste ». Depuis, le réalisateur est reconnu comme un véritable « auteur ». Mais une œuvre récente, *le Cri du hibou*, doit essuyer une distance polie. Ce film plutôt grave déconcerte, semble-t-il, après la gouaillerie des *Lavardin*. C'est ainsi : la carrière chabrolienne est une longue suite de malentendus critiques. On lui reprochera tantôt sa désinvolture, tantôt sa gravité.

Il est courant d'être pris pour ce qu'on n'est pas. Beaucoup de cinéastes, et non des moindres, en ont souffert. Mais assez vite, avec Chabrol, le problème ne se pose plus en ces termes. Car après avoir tenté de se défendre et d'imposer ses choix, l'homme, finalement peu enclin au « donquichottisme », a cessé de guerroyer contre les moulins à vent. Dans une bonne humeur plus ou moins feinte, il accomplit, désormais, avec un talent grandissant qui le préserve de mieux en mieux des mauvaises surprises, ce pour quoi il est attendu. Attitude défaitiste que de se plier aux exigences du public ? Ce serait oublier qu'avec Chabrol, toutes les apparences sont sujettes à caution.

Car ici, nous sommes au royaume des fausses pistes. Chabrol raconte des polars, mais comme chez Melville, ils prennent vite des allures de tragédie. Ses histoires sont dites jubilatoires, mais rares sont celles qui prêtent franchement à rire. Le grave est traité avec légèreté et ce qui est léger nécessite l'attention la plus grave... Mais n'allons pas croire qu'il suffirait de gratter le vernis pour « trouver » l'auteur. C'est un peu plus compliqué.

L'univers chabrolien déroute particulièrement car, justement, il trouble la distinction entre « vraies » et « fausses » pistes. Son originalité tient ainsi à une recherche constante de la « médiation »[1]. Non pas une ligne médiane, un peu molle,

---

1. « Claude Chabrol : l'homme centre », Jean-Claude Biette, *Cahiers du cinéma* n° 323-24, mai 1981.

où s'abolirait la pensée à force de nuances et de précautions, mais une dialectique des contraires à laquelle l'auteur doit la profondeur de son propos.

Dans *Que la bête meure*, le corps du fils de Charles Thénier, mortellement blessé par la voiture de Paul Decourt, gît au pied d'un calvaire. L'ironie est évidente : si Dieu existait, semble dire Chabrol, Il n'aurait pas admis la mort de cet enfant. Mais ce peut être aussi qu'Il a ramené l'enfant à Lui, et que son silence est la manifestation la plus forte de son existence. Au-delà des certitudes faciles, ce plan témoigne d'une ambiguïté d'ordre dostoïevskien : « *Le problème*, dira plus tard Chabrol [1], *c'est Dieu. Difficile de croire en quelque chose que personne ne peut définir. En même temps, je n'aime pas le chaos. Mes films se ressentent de ça. Ils ont à cet égard une résonance chrétienne.* » Ceux qui sont convaincus de l'athéisme chabrolien en seront pour leurs frais.

Autre exemple : *les Noces rouges*. Lucienne et Pierre, les amants, profitent de la fermeture du château, musée de la ville, pour se retrouver dans « la chambre royale ». L'affaire est évoquée en conseil municipal (dont fait partie Pierre). On soupçonne « des jeunes ». Pierre s'en indigne. Mais le comportement des amants n'est-il pas celui d'adolescents ? D'un côté, Chabrol rejette l'accusation instinctive portée à l'encontre de la jeunessse. De l'autre, il admet la nécessité d'un comportement juvénile pour commettre de tels actes. Position frileuse, médiane ? Chabrol au contraire défend l'idée (pas si reçue que ça) que des adultes peuvent avoir un comportement d'adolescents (comme Lucienne et Pierre), et vice versa (comme Hélène, la propre fille de Lucienne).

Reste la piste « cinéphile ». Là aussi, il ne faut pas s'attendre à des repères sûrs. L'homme est dit proche d'Hitchcock. Lui-même, on le verra, cultive savamment cette réputation [2]. Mais là où on le voit disciple du maître du suspense, Chabrol n'est jamais autant en phase qu'avec le cinéma de Fritz Lang. En vérité, fidèle à son idée de la médiane, l'auteur parvient à concilier deux modèles pourtant radicalement opposés, et fait en sorte que cette double influence s'implique harmo-

---

1. Interview, *Cinématographe* n° 81, septembre 1982.
2. Diffusée sur Canal Plus (puis sur Antenne 2), la série « Sueurs froides » dont Chabrol est le chef d'orchestre, très hitchcockienne ne serait-ce que par le titre, confirme cette filiation.

UNE AFFAIRE
DE FEMMES
CLAUDE CHABROL

Sous les apparences, la profondeur chabrolienne.

nieusement dans son œuvre. Parlons donc de Chabrol comme d'un cinéaste « hitchlangien ». Or, justement, « l'hitchlangisme » est une synthèse qui dépasse les influences séparées des deux maîtres. Comme Lang, Chabrol prône l'objectivité cinématographique, et refuse que l'on s'identifie à ses personnages. « En même temps », comme Hitchcock, il adore jouer avec l'identification et pimenter ses récits de notations subjectives.

Le lecteur va penser que l'art de Chabrol tient plus de la prestidigitation que d'un regard sur le monde. Qu'il me pardonne, et plus encore Chabrol. Et surtout, que cet ouvrage mette à mal cette « apparence » et se fasse l'écho de la profondeur chabrolienne qu'un film comme *Une affaire de femmes*, pour citer le plus récent, corrobore à plus d'un titre.

CHRONOLOGIE DES FILMS
(CINEMA ET TELEVISION)

1958 : *Le Beau Serge, Les Cousins*
1959 : *A double tour, Les Bonnes Femmes*
1960 : *Les Godelureaux*
1961 : *L'Avarice (Les Sept Péchés capitaux)*
1962 : *L'Œil du malin*
1963 : *Ophélia, Landru, L'Homme qui vendit la tour Eiffel (Les Plus Belles Escroqueries du monde)*
1964 : *Le Tigre aime la chair fraîche ·*
1965 : *La Muette (Paris vu par...), Marie-Chantal contre docteur Kha, Le Tigre se parfume à la dynamite*
1966 : *La Ligne de démarcation*
1967 : *Le Scandale, La Route de Corinthe*
1968 : *Les Biches, La Femme infidèle*
1969 : *Que la bête meure, Le Boucher*
1970 : *La Rupture*
1971 : *Juste avant la nuit, La Décade prodigieuse*
1972 : *Docteur Popaul*
1973 : *Les Noces rouges*
1974 : *Nada,* Série *Henry James* (TV) : *De Grey, Le Banc de la désolation, Histoires insolites* (TV) : *Monsieur Bébé, Nul n'est parfait, Une invitation à la chasse, Les Gens de l'été*
1975 : *Une partie de plaisir, Les Innocents aux mains sales*
1976 : *Les Magiciens, Folies bourgeoises*
1977 : *Alice ou la Dernière Fugue*
1978 : *Les Liens du sang, Violette Nozière, La Boucle d'oreille* (TV)
1979 : Série *Fantômas* (TV) : *L'Echafaud magique, Le Tramway fantôme*
1980 : *Le Cheval d'orgueil ;* Série *Madame la juge* (TV) : *2 + 2 = 4 ; Le Système du docteur Goudron et du professeur Plume* (TV) ; Série *Les Musiciens :* Monsieur Saint-Saëns, Monsieur Prokofiev, Monsieur Liszt
1981 : *Les Affinités sélectives* (TV)
1982 : *Les Fantômes du chapelier, La Danse de mort* (TV), *Cinéma, cinémas* (TV) : étude d'une scène de *M. le Maudit*

1984 : *Le Sang des autres*
1985 : *Poulet au vinaigre*
1986 : *Inspecteur Lavardin, Masques*
1987 : *Le Cri du hibou*
1988 : *Série Les Dossiers de l'inspecteur Lavardin* (TV) : L'Escargot noir ; *Une affaire de femmes.*

Chapitre I

LES FILMS

Leurs histoires, leurs personnages,
leur discours

La traversée des apparences

Le criminel chabrolien est ordinaire, c'est-à-dire « invisible ». Le plus bel exemple reste Landru. Chef de famille scrupuleux, il ne supporte pas la misère, et ne choisit le crime que pour subvenir aux besoins des siens. Il n'y a ici aucune pathologie, aucune névrose. Le crime, comme n'importe quel travail, s'avère rapidement un fardeau. Et voilà notre Landru fonctionnarisé, attentif à ses comptes, empêtré dans des corvées quotidiennes.

Le criminel, chez Chabrol, se fond avec naturel dans la Cité. Monsieur Labbé, des *Fantômes du chapelier*, quand il n'est pas dans son magasin de chapeaux, plaisante avec les autres notables de la ville. Mais la nuit, ce digne commerçant se transforme en sadique. Violette Nozière fait gentiment ses devoirs tandis que son père lit sereinement son journal. Sortie de l'appartement, elle apparaît sous son vrai visage, inconnu des siens.

C'est cet invisible, divulgué au spectateur, qui aux côtés de ce que le héros chabrolien ne cache pas, désigne le partage de l'être. Chabrol ne s'attache pas à rendre visible ce qui ne l'est pas pour nuire à ses personnages, mais pour donner à voir (au spectateur) ce qu'ils sont vraiment.

Cette « invisibilité » du criminel s'applique à tous les personnages chabroliens. L'auteur en définit le concept dans « La peau, l'air et le subconscient »[1]. Ce texte, expliquant les grandes lignes du *Beau Serge*, est symptomatique de quelqu'un qui (inconsciemment) n'a pas tout à fait quitté la critique, ou qui n'est pas totalement sûr de son « baptême du cinéma ». Rien de déshonorant à cela ; du reste, l'important est ailleurs. Bien au-delà du *Beau Serge*, l'article éclaire toute l'œuvre de Chabrol.

Le titre, déjà, mérite l'attention. « La peau », grâce à son « apparence », protège de « l'air », c'est-à-dire des multiples épreuves que réserve la vie ; ces adversités sans cesse répé-

---

1. *Cahiers du cinéma* n° 83, mai 1958.

tées nourrissent aussi le « subconscient », mais il faut traverser l'« apparence » endurcie pour le découvrir.

Chez Chabrol, les êtres sont ce qu'ils cachent et non ce qu'ils donnent à voir. C'est à nous, et au cinéma, de débusquer la vérité sous le manteau des « apparences ».

Luis Buñuel

Par cette préoccupation d'aller au-delà des seules « apparences », Chabrol se rapproche assurément de Buñuel, chez qui les êtres ne se révèlent pas non plus au premier regard. L'un comme l'autre aiment à dépouiller les personnages de leurs masques, de leur représentation. Prisonnier de ses prérogatives sociales, le bourgeois est par conséquent, pour tous deux, une cible privilégiée. Dans *le Charme discret de la bourgeoisie*, Buñuel met à plat le discours « bourgeois » afin de mieux en désigner les convenances, son souci constant de demeurer dans « l'apparence ». Sachant mieux que quiconque se réfugier derrière le (beau) langage, le bourgeois fait valoir un paraître avantageux. Tout ceci, nous le verrons, caractérise aussi le personnage chabrolien, souvent un notable, soucieux (parfois jusqu'à l'obsession) du regard des autres. Du reste, chez les deux cinéastes, la mise à plat de la représentation, langagière ou autre, est justement servie par des images fortement dépouillées. C'est à travers l'invisibilité de la mise en scène, sa quasi-immobilité parfois, que la caméra décèle le mieux les « apparences » mensongères, comme si, finalement, cette représentation se piégeait d'elle-même.

Buñuel comme Chabrol soumet ses personnages à rude épreuve, laquelle révèle leur être profond. Dans *la Fièvre monte à El Pao*, Gérard Philipe, qui sans l'avoir voulu appartient au camp des oppresseurs, croit pouvoir défendre les opprimés. Les faits détruisent vite les illusions d'un homme qui pensait pouvoir vivre en accord avec ses idées généreuses. Les épreuves que subit le personnage chabrolien sont tout aussi cruelles, ou, plus généralement, extrêmes.

C'est dans cette « extrémité » que Chabrol rejoint doublement Buñuel. Lui choisit des situations atypiques pour piéger ses personnages, les révéler. Dans *l'Ange exterminateur*, des bourgeois restent cloîtrés dans une pièce, alors que rien, objectivement, ne les y contraint. Les conversations qui animent *le Charme discret de la bourgeoisie* tournent d'elles-mêmes à l'absurde. Chez Buñuel, que le point de départ soit mystérieux ou non, le récit revêt rapidement une connotation surnaturelle. Chabrol opte pour des solutions apparemment plus réalistes, les premières d'entre elles étant le crime et la mort ; mais il les exploite d'une manière tout aussi fantastique. Même dans les œuvres fortement ancrées dans le réel, par exemple le village de campagne pour *le Boucher*, le réalisme, garant de la totale beauté de ce film, décolle pourtant vers des notes plus mystérieuses. Les explications finales de Popaul sur ses crimes, par leur crudité, touchent à une sorte de sur-réalisme. Nous avons indisidieusement pénétré dans un univers fantastique.

Or c'est là, dans le fantastique, que les « apparences », toutes, finissent par être déjouées.

Du « Beau Serge » à « l'Escargot noir »

La « traversée des apparences » est si centrale dans l'approche chabrolienne qu'il nous a paru intéressant de regrouper sous son chapeau l'étude de la filmographie du réalisateur. Un tel choix évite d'accumuler une suite exhaustive de « critiques », trop indépendantes les unes des autres, d'une lecture difficile pour qui n'a pas vu les films concernés.

Qu'on rassure le lecteur, ce thème, de la « traversée », a des ramifications assez vastes pour que l'étude de ces films ne soit pas restrictive.

Le Beau Serge (1957-58)

Producteur : AJYM-Films
Scénario : Claude Chabrol
Images : Henri Decae (N et B)
Son : Jean-Claude Marchetti
Musique : Emile Delpierre
Montage : Jacques Gaillard
Durée : 93 minutes.

Interprétation : Gérard Blain *(Serge)*, Jean-Claude Brialy *(François)*, Bernadette Lafont *(Marie)*, Michèle Meritz *(Yvonne)*, Claude Cerval *(le curé)*, Edmond Beauchamp *(Glomaud)*, Jeanne Perez *(l'aubergiste)*, André Dino *(le docteur)*, Philippe de Broca, Claude Chabrol, et les habitants de Sardent.

Malade, François revient dans son village natal. Il retrouve son ami d'enfance, Serge, qui sombre dans l'alcool depuis que sa femme, Yvonne, a mis au monde un enfant mort-né. Elle est à nouveau enceinte, et Serge redouble de haine pour son épouse. Il a honte de sa déchéance, et supporte mal le retour de François au village. Ce dernier veut « sauver » Serge. C'est bien présomptueux, mais les événements tournent en sa faveur. Yvonne, avant d'accoucher, réclame la présence de son mari. Malgré sa santé précaire, François affronte le froid pour trouver, d'abord le médecin, puis Serge ivre mort qu'il ramène à la maison. L'accouchement se déroule bien. Serge est heureux. François aussi.

François et Serge, dit Chabrol dans « La peau, l'air et le subconscient », ont des apparences trompeuses. *« Une vérité, peu à peu, doit se dégager pour le spectateur : l'instable, le complexé, le fou, ce n'est pas Serge, mais François. Serge se connaît : il sait le pourquoi de son comportement ; il se suit. François, tout au contraire, ne se connaît qu'au niveau des apparences : sa nature intime est enfouie dans son subconscient et ne se révèle qu'en de brusques éclairs ; il se fuit »* [1].

Toutefois, « la traversée des apparences » ne remet pas seulement en cause l'idée, proposée par le scénario, que François domine Serge, elle trouble aussi l'impression première qu'il y ait une happy end. Le chemin christique, de François à la recherche de Serge, pour que celui-ci assiste à la naissance de son enfant, travaille dans ces sens. D'abord s'impose l'idée que François se sauve surtout lui-même en sauvant son ami. Puis, à réfléchir sur la mise en scène de ces séquences, un sentiment d'irréalité nous vient à l'esprit — peut-être cette neige lumineuse noyée dans l'obscurité...

Qui sait si le spectateur ne vit pas là un rêve de François. Car, vu ce que l'on connaît du personnage, son héroïsme (il erre dans une nuit hivernale au péril de sa vie) a peut-être de quoi surprendre. Le médecin lui reproche son âme de « sauveur » : n'est-ce pas, pour François, une manière de dire, au spectateur et à lui-même, qu'il est effectivement un sauveur ? Avant cela, il rejette les avances (d'ailleurs grossières) de la bonne du médecin : une façon de montrer que pour un sauveur le devoir l'emporte sur le plaisir.

Face à lui, qu'il s'agisse d'un rêve ou pas, Serge, magnifiquement interprété par Gérard Blain, est comme un bloc d'émo-

---

1. *Cahiers du cinéma* n° 83, mai 1958.

Serge se suit, François se fuit... et Marie regarde.

tion taillé à même la chair. Il restera partagé entre la recherche de son ami et un rejet en bloc de cette amitié. Son
refuge (dans un poulailler) que finit par trouver le « sauveur » peut aussi bien signifier un désintérêt à l'égard de
François qu'une longue attente de celui-ci. Ecorché vif (un
peu à la James Dean), Serge trahit une épaisseur de sentiment de toute façon étrangère à son dandy d'ami (Brialy).

Les Cousins (1958)

Producteur : AJYM-Films, Société Française du Cinéma pour
la Jeunesse
Scénario : Claude Chabrol, Paul Gégauff
Images : Henri Decae (N et B)
Son : Jean-Claude Marchetti
Décors : Bernard Evein et Jacques Saulnier
Musique : Paul Misraki, Mozart et Wagner
Montage : Jacques Gaillard
Distributeur : Marceau-Cocinor
Durée : 110 minutes.

Interprétation : Gérard Blain (*Charles*), Jean-Claude Brialy
(*Paul*), Juliette Mayniel (*Florence*), Claude Cerval (*Clovis*),

18

Guy Decomble *(le libraire)*, Corrado Guarducci *(comte italien)*, Geneviève Cluny *(Geneviève)*, Michèle Meritz *(Vonvon)*, Stéphane Audran *(Françoise)*, Jean-Pierre Moulin *(Philippe)*, Jean-Louis Maury, Jeanne Perez, Paul Bisciglia, Françoise Vatel, André Jocelyn.

Charles, jeune provincial, s'installe chez son cousin Paul à Neuilly, pour faire son droit. Ce dernier, exubérant, disert, paraît très sympathique... jusqu'au jour où Charles rencontre Florence, et tombe amoureux d'elle. Paul, jaloux de cette liaison naissante, obtient les faveurs de la jeune femme. Florence vit maintenant chez Paul, en présence de Charles qui souffre secrètement. Sans faire grand chose, Paul réussit ses examens. Grand bûcheur, Charles au contraire échoue. Ulcéré, il décide finalement de se venger, non sans donner une chance à Paul : celle de la roulette russe. Quand il tire sur Paul, le coup ne part pas. En revanche, le lendemain matin, Charles est abattu par Paul qui ne pensait pas le revolver chargé.

On peut difficilement séparer *les Cousins* du *Beau Serge*. Comme l'apparence voulait que François dominât Serge, une tromperie, certes moins appuyée, joue en faveur de Paul à l'encontre de Charles. Et puis surtout, Chabrol reprend les mêmes acteurs (Blain-Brialy) pour les deux rôles.

Paul a gagné (si on peut dire) en cynisme ; ce dont François était dépourvu. Un plan en exergue témoigne de ce nouvel état d'esprit : les soldats de plomb qui vont au casse-pipe (à moins qu'ils n'aillent à « l'association » [1]), et que Paul rêverait sans doute de conduire. Animé par le seul instinct de domination, il n'a plus rien du côté « missionnaire » de François. Paul sait en outre l'importance de la représentation, et joue d'un charme que François n'avait pas. Dès leur premier échange, il « impressionne » Charles, en pratiquant une guerre éclair contre son cousin des champs, abasourdi par la soudaineté de l'attaque.

A « l'association », Paul est le roi ; il a littéralement hypnotisé Charles pour qui les étudiants (et disciples du « roi ») sont réduits à des masques expressionnistes. Chabrol filme

---

1. « L'association » est un local où se réunissent des étudiants. Ce lieu de rencontre abrite le vivier « droitier » de la faculté. Chabrol s'est manifestement inspiré de la « corpo de droit » (J.M. Le Pen) célèbre pour ses positions extrémistes.

l'énergie avec laquelle le « roi » domine le monde, et précisément son cousin qu'il surveille sans relâche. Paul a l'œil ; c'est son meilleur atout (François était aveuglé par son délire christique).

La tâche de Brialy serait aisée... sans Florence. Paul doit supprimer l'obstacle féminin pour garder Charles. L'intervention de Clovis, le maître de Paul, est alors capitale. Que dit son « sermon » ? Que, contrairement à Charles, prisonnier de ses états d'âme, Florence, comme Paul, est « une peau qui répond ». Implicitement, Clovis met en valeur une « qualité » de son disciple. La « peau » (on se souvient de l'article de Chabrol expliquant *le Beau Serge*), c'est le paraître triomphant, essentiel pour qui veut se faire aimer des autres. Mais les belles manières cachent une carence intérieure, cet « être vrai » que Paul envie (à juste titre) à Charles, et qu'il voudrait s'approprier par son ascendant.

Revenons à Clovis. Travaillant dans l'ombre de Paul, il lui dicte ses méfaits sans en prendre l'initiative. Clovis est un Mabuse, mais à une échelle « privée ». Sans lui, Charles coulerait sans doute des jours heureux avec Florence. Clovis n'est pas une personne intéressée : lui importe surtout de vivre sans travailler grâce à la générosité de Paul. Il y a chez Clovis le goût du travail bien fait, du conseil prodigué pour l'amour de l'art (du mal). On comprend qu'il fascine Paul chez qui persistent quelques velléités « petites bourgeoises ».

Le dénouement des *Cousins* témoigne du penchant de Chabrol pour les morales ambivalentes. La roulette russe se retourne contre Charles, et consacre la victoire de Paul. Assez logiquement d'ailleurs : en tirant un premier coup, Charles avait une « chance » sur six de tuer Paul, lequel, au second coup, en a une sur cinq d'abattre Charles. Mais le cousin des champs ignore la loi des probabilités. Partisan du travail (qui pourtant ne le récompense guère), il méprise l'incertitude du jeu auquel néanmoins il fait appel.

Au contraire, Paul a le sens du jeu, et des probabilités, et sait se concilier le hasard. Sa réussite aux examens, en fait, doit beaucoup à Clovis, et peu à la providence. Tout condamne finalement Charles, et l'être, vaincu par le paraître.

« En retour », Paul est victime de son penchant pour le geste ludique, l'emphase ; il a tiré sur Charles comme s'il était dans un polar ou un western, sans sembler soupçonner que le revolver contienne de vraies balles. Son paraître le rend inconséquent, « peau » sans chair. L'arme, d'une certaine façon, se retourne contre lui. C'est peut-être ce qu'il comprend en regardant le cadavre de son cousin.

Là encore (après le Beau Serge), l'indécision règne : qui est vainqueur, qui est vaincu ?

·A double tour (1959)

Producteur : Paris-Films (Hakim), Titanus Films
Scénario : Paul Gégauff, d'après le roman The Key to Nicholas Street, de Stanley Ellin
Images : Henri Decae (Eastmancolor)
Son : Jean-Claude Marchetti
Décor : Bernard Evein, Jacques Saulnier
Musique : Paul Misraki, Mozart et Berlioz
Montage : Jacques Gaillard
Distributeur : Marceau-Cocinor
Durée : 100 minutes.

Interprétation : Madeleine Robinson (Thérèse Marcoux), Jacques Dacquemine (Henri Marcoux), Antonella Lualdi (Léda), Jean-Paul Belmondo (Lazlo Kovacs), André Jocelyn (Richard Marcoux), Jeanne Valérie (Elisabeth Marcoux), Bernadette Lafont (Julie), Lazlo Szabo (Waldo), Mario David (le laitier).

Henri Marcoux hésite à tout quitter, son épouse Thérèse, et ses enfants, Elisabeth et Richard, pour Léda, une jeune femme récemment installée à côté de la propriété familiale. Seul, il suivrait les conseils de Lazlo, son futur gendre et ami de Léda, qui préconise le saut dans l'inconnu. Mais la famille Marcoux est en état de choc. Thérèse veut protéger son foyer à tout prix, et refuse même de donner sa fille à Lazlo en qui elle a perdu confiance. Du reste, la première intéressée, sous l'influence de sa mère, ne veut plus du jeune homme. Son frère Richard, lui, souffre secrètement, et c'est par lui qu'arrive le drame. Il tue Léda. Grâce à son ami Waldo, Lazlo découvre sa culpabilité et le presse de se rendre à la police. Richard suit son conseil.

Richard est le premier criminel dans l'œuvre de Chabrol (l'homicide de Paul, dans les Cousins, était involontaire). Le personnage est un esthète, qui pense que seul l'art peut produire de la beauté. L'avènement de Léda dément formellement cette conception. Comme la musique de Mozart fait comprendre à Richard que d'autres sont « laides », Léda est le révélateur de sa médiocrité. Le fils Marcoux ne supporte pas que Léda le rabaisse, lui et sa famille, au rang d'« insectes sordides ». Ainsi, en supprimant celle qui incarne l'intelligence et la beauté, Richard entend-il recréer son univers où la pureté n'était associée qu'au seul art, Verbe sans Chair.

Mais Léda est aussi victime d'elle-même. La jeune femme a beaucoup d'admirateurs. A l'un d'eux, ivre, qui s'extasie devant sa beauté, elle répond, bizarrement, « tu me fais peur ». Ce n'est pas son ébriété qui l'inquiète mais le sentiment justifié d'être prise pour ce qu'elle n'est pas. En un mot, d'être sublimée. Richard (qui vit mal cette admiration) imagine que la jeune femme possède ce que d'autres voudraient avoir. Petit détail signifiant, il note la superbe vue qu'offre son pavillon japonais : Léda fait remarquer qu'il peut contempler exactement le même paysage de chez lui. La jeune femme est victime de son image, ainsi qu'en témoigne sa première apparition (au sens fort du terme). Le crémier lui apporte du lait et il est impressionné par son image dans un miroir. Le mal est dans cette glace déformante, nous dit Chabrol.

Contrairement aux films précédents, le noyau du scénario d'*A double tour* est difficile à cerner. Léda en est curieusement absente. Ce sont les rêves, les sentiments qu'elle suscite qui font avancer le film.

Henri, l'amant de Léda, n'a pas un rôle plus dynamique. Il subit les choses plus qu'il ne les provoque. L'orgueil (latent chez François, manifeste chez Paul [1]) lui fait complètement défaut. Il y substitue une perpétuelle fuite en avant. Le désir profond d'Henri est d'être absent : c'est le contraire de Paul/Brialy, obsédé par une volonté perverse de tout voir. Henri, lui, voudrait ne « rien » voir. N'y parvenant pas, il rêve, les yeux ouverts, qu'il vivrait enfin heureux avec l'élue de son cœur. Mais durant sa fuite en songe avec sa belle, celle-ci est réellement assassinée. Fuir la réalité est un crime : Léda est morte par la faute de deux rêveurs, l'un trompé par un esthétisme morbide, l'autre par un désir de bonheur inaccessible.

Les autres personnages s'activent aussi dans le vide. Seul Lazlo, un amoureux de la vie, se démarque. Il ne cherche pas à imposer ses conseils à Henri. Il n'a pas besoin de

---

1. Les personnages respectifs du *Beau Serge* et des *Cousins*.

justification morale (comme François du *Beau Serge*), ni d'être le centre du monde (comme Paul des *Cousins*).

Amoureux de la vérité, Lazlo est d'abord trop railleur, trop impertinent. Chabrol souligne la désapprobation de son audi-toire (y compris d'Henri qui pourtant est acquis au jeune homme). Lazlo oublie la fin qu'il poursuit. Mais la mort de Léda le métamorphose ; il renie alors la pantalonnade. Il continue de fustiger l'hypocrisie du monde, mais le voici maintenant soucieux de sa propre transparence. Esclave de la dérision, il jouait aussi, à sa manière, une comédie. « L'as-sassinat de la beauté »[1] lui ordonne de ne plus perdre de temps. Lazlo a dégraissé ses dialogues, élagué l'inutile, le charmant — ou l'irritant, c'est selon.

Chabrol filme avec enthousiasme, naïveté parfois : il « ap-prend » encore le cinéma. Cette fougue de l'auteur, mise en valeur aussi par des teintes vives (c'est le premier film en couleurs de Chabrol), est à l'image de son personnage, Lazlo. Comme le symbole d'une Nouvelle Vague encore triomphante, Chabrol et Belmondo semblent faire valoir une positivité qui ose dire son nom. *A double tour* n'est pourtant pas dépourvu d'amertume, loin s'en faut. Après tout Lazlo doit la révélation de son être à la mort d'une jeune femme. Or, si la beauté et l'intelligence ont disparu, que reste-t-il ?

Les Bonnes Femmes (1959-60)

Producteur : Paris-Films (Hakim), Panitalia (Rome)
Scénario : Paul Gégauff, Claude Chabrol
Images : Henri Decae (N et B)
Son : Jean-Claude Marchetti
Décors : Jacques Mély
Musique : Paul Misraki, Pierre Jansen
Montage : Jacques Gaillard
Distribution : Consortium-Pathé
Durée : 95 minutes.

Interprétation : Stéphane Audran *(Ginette)*, Bernadette La-font *(Jane)*, Clotilde Joano *(Jacqueline)*, Lucile Saint-Simon *(Rita)*, Ave Ninche *(madame Louise)*, Pierre Bertin *(le pa-tron du magasin)*, Sacha Briquet *(Henri)*, Mario David *(André Lapierre, le motard)*, Claude Berri *(le copain de Jane)*, Albert

---

1. C'est ainsi que Chabrol désigne le meurtre de Léda (Interview, *Arts*, 24 juin 1959).

Dinan et Jean-Louis Maury *(les fêtards)*, Serge Bento *(Nounours)*, Henri Attal, Dominique Zardi, Claude Chabrol, Karen Blanguernon, Philippe Castelli, Jean Barclay.

Ginette, Jane, Jacqueline et Rita sont de sortie. Un motard les surveille discrètement. Rita et Ginette rentrent chez elles. Deux fêtards abordent Jacqueline et Jane qui acceptent de finir la soirée avec eux. Restaurant, boîtes... Et le motard est toujours là. Les jours suivants, il espionne les « bonnes femmes » à leur travail, les suit lorsqu'elles ont fini leur journée (qu'elles trouvent bien longue). Chacune, à sa manière, lutte contre l'ennui. Rita veut se marier mais tremble à l'idée de rencontrer les parents de son fiancé Henri. Ginette est chanteuse « italienne ». Jane joue avec André, un militaire. Seule, Jacqueline ne fait rien. Ce que comprend vite le motard. Chahutée à la piscine, il la sauve de ce mauvais pas, et se présente : André Lapierre. Après, les choses vont vite. André emmène Jacqueline en moto à la campagne. Ils vont au restaurant... Il l'étrangle dans un endroit isolé.

« A bout de souffle est un film de Godard « avant » d'être un film moderne. Ce qui signifie, en simplifiant, que Godard se sert du cinéma, que Chabrol le sert. Chabrol n'a peut-être « rien à dire », mais après tout ce n'est pas le message qui fonde obligatoirement la vocation du cinéaste, ce peut être aussi la simple et impérieuse nécessité d'exercer un regard.[1] »

De fait, la critique d'André S. Labarthe sur *les Bonnes Femmes* désigne à la fois la « modernité » de la Nouvelle Vague, laquelle effectivement se situe, en quelque sorte, au-delà du film de Chabrol, et, implicitement, le film lui-même. Si *les Bonnes Femmes* « rencontre » à ce point la Nouvelle Vague, pour se confondre avec elle, c'est parce que l'éthique chabrolienne (avec, sans aucun doute, celle de Jacques Rozier) se rapproche le plus de cette « modernité » fondée sur le seul regard. Chez Chabrol (et on le verra avec *les Godelureaux*, les *Tigres*, pour ne citer qu'eux), n'avoir « rien à dire » n'est, en effet, justement pas rien. C'est l'affirmation, proche de Balzac et de Flaubert, que les autres, le monde, sont bien plus importants que soi[2] ; et par conséquent, une preuve, entière, d'humilité.

---

1. « Le plus pur regard », André S. Labarthe, *Cahiers du cinéma* n° 108, juin 1960. Cette notion de regard est évoquée dans « Le cinéma de Chabrol ».
2. Cf. « La morale et le cinéma ».

Comme le dit l'adage, la réalité dépasse la fiction. Ainsi, « les autres » sont-ils, qu'on le veuille ou non, des personnages, d'autant plus « forts » qu'ils s'imposent au regard du cinéaste.

Au-delà des « bonnes femmes », et du motard, ce sont tous les personnages qui s'épanouissent grâce à la liberté que leur accorde l'auteur. « Regardant », Chabrol n'intervient pas. Et cela donne des atypiques (la société, c'est connu, n'est faite que de ceux-là) : une caissière, à la fleur de l'âge, dont le fétiche est un mouchoir trempé dans le sang du dernier condamné à mort en public, ou un chef de magasin, Pierre Bertin, très « troisième république »[1] (la France de 1960, reconnaissent les historiens actuels, en sort à peine). Il faudrait également citer le militaire, copain de Jane, Nounours le livreur, ou les deux fêtards...

Pour cette symbiose, totale, entre le regard et les personnages (qui n'existent pas autant dans *Adieu Philippines*), *les Bonnes Femmes* est, selon nous, le plus beau film de la Nouvelle Vague.

Les Bonnes Femmes répond à la question qui clôt *A double tour* : quand la beauté et l'intelligence ont déserté, il reste le monde... des « bonnes femmes ». François a peut-être sauvé le « beau Serge » : on ne voit pas ce qui peut sauver Jane, Jacqueline, Ginette ou Rita. La roulette russe, donc le hasard, détruit Charles des *Cousins* : les « bonnes femmes », elles, sont programmées pour la médiocrité. Dans *A double tour*, Henri, Richard, Lazlo, tous, à des degrés divers, commettent une faute qui, comprise, peut être rachetée : les « bonnes femmes » n'ont rien commis, et ne sont donc susceptibles d'aucun rachat. Jane et ses copines n'ont pas fauté : elles « sont » la faute. Le mal, désormais, est la loi du monde, et la strangulation de Jacqueline n'en est qu'une expression. Ce mal, par conséquent, est avant et après le film.

« Avant » : dès la première séquence, André Lapierre est « déjà » là. Et Chabrol souligne dans l'image le contraste entre la gravité perçante du motard et l'insouciance des filles. « Après » : en guise d'épilogue (sans lequel le film serait

---

1. Le fétiche de la caissière a été gommé de la version commercialisée. Quant à Pierre Bertin, Chabrol regrettera par la suite son jeu trop extravagant : pour nous, l'auteur a tort !

gratuitement féroce), une dernière « bonne femme » que nous n'avions jamais vue, sera vouée au même sacrifice. N'est-elle pas sensible à des apparences trop flatteuses, symbolisées par une boule scintillante ; comme Jacqueline l'était avec les chromes de la moto d'André ? La fille de l'épilogue fixe longuement la caméra, comme pour prendre à témoin le spectateur.

Avec *les Bonnes Femmes*, Chabrol argumente. Au-delà de son apparence brouillonne, c'est un film résolument pédagogique. D'emblée, la première séquence indique le statut de victime des « bonnes femmes ». Le motard surveille les deux fêtards qui eux-mêmes guettent les filles, lesquelles, n'épiant personne, se trouvent en fin de chaîne du dangereux réseau. Elles seront donc mangées sans avoir participé au festin.

Exclues de la vie, végétatives, elles attendent, dans un magasin saturé de lumière qui fait songer à un laboratoire agronomique. Plus probante encore est la scène du zoo, où la mise en scène introduit le doute sur qui, des filles ou des animaux, regarde qui. Chabrol n'en rajoute pas : la démonstration « par le cinéma » suffit.

Les « bonnes femmes » sont excessives parce que chacune s'oblige à présenter une apparence qu'elle croit avantageuse. En fait, Chabrol les place en première ligne afin de mieux montrer leur désarrroi. Jane, la fêtarde, se prend d'angoisse en se regardant dans une glace. Traduisons : Chabrol soumet Jane à l'épreuve du miroir, parce que, des quatre filles, elle met le plus d'énergie à dissimuler sa détresse. Sans projet ni rêve, Jane, plus que ses copines, craint la réalité de son image.

L'épisode du miroir dit tout haut ce que le reste du film chuchote. « J'ai peur », confie Jane. « Qu'est-ce que tu cherches dans la vie ? » demande une autre. Ou encore : « Est-ce que les hommes nous cherchent autant que nous ? » Finies les railleries ? Au fond, les « bonnes femmes », leur naïveté, leur fragilité, touchent Chabrol.

Jacqueline, elle, est un peu à part. Plus idéaliste, plus « morale », plus réfléchie, elle est la victime idéale du motard. En cela, Chabrol laisse entendre que dans le monde des « bonnes femmes », l'intelligence et la sensibilité ne sont pas forcément les meilleures solutions.

André Lapierre, le motard, sait attendre le bon moment (la piscine) pour passer à l'action. Patience et tactique, deux qualités que n'avait pas François du *Beau Serge*, ne suffisent pourtant pas. André a aussi le charme de la bête qui sommeille. Comme Paul des *Cousins*, il fascine : Jacqueline est grisée (la scène du zoo permet aussi à Chabrol de montrer combien l'héroïne se sent attirée par la bestialité, au risque d'ailleurs d'être blessée par un félin).

Au restaurant, André tente un dernier tour, un peu gaulois, qui ne fait pas rire, et à l'issue duquel Jacqueline le réprimande comme un enfant. Chabrol ne suggérant aucune roublardise, André, blessé, est à cet instant précis touchant. Sommes-nous trompés à notre tour, comme Jacqueline ? Mais pourquoi soupçonner le motard qui n'a encore rien commis ? Il s'agit encore d'une « apparence » opaque, que nous ne sommes pas parvenus à « traverser », et qui est pétrie de nos fantasmes. C'est seulement in extremis que le crime du motard confirme nos pires soupçons.

Mais imaginons le film sans meurtre. Notre malaise éprouvé dans la scène du restaurant prendrait une tout autre dimension. Il nous culpabiliserait, rétrospectivement, d'une attente malsaine. N'était-ce pas alors l'occasion de montrer que nous sommes condamnés à l'erreur ? Chabrol, encore pédagogue, a certainement choisi la solution du motard « vraiment » dangereux pour cristalliser sa vision pessimiste du monde.

Les Godelureaux (1960)

Producteur : International Production, Cocinor, SPA Cinematografica (Rome)
Scénario : Eric Ollivier, Paul Gégauff, d'après le roman de E. Ollivier
Images : Jean Rabier (N et B)
Son : Jean-Claude Marchetti
Décors : Georges Glon
Musique : Maurice Leroux, Pierre Jansen
Montage : James Cuenet
Distributeur : Cocinor-Marceau
Durée : 99 minutes.

Interprétation : Jean-Claude Brialy *(Ronald)*, Charles Belmont *(Arthur)*, Bernadette Lafont *(Ambroisine)*, André Jocelyn *(le jeune homme)*, Jean Galland *(l'oncle d'Arthur)*, Jean Tissier *(le président)*, Sacha Briquet *(Henri)*, Sophie Grimaldi *(la fiancée)*, Stéphane Audran *(la danseuse)*, Parisys *(la chanteuse)*, Juliette Mayniel *(la religieuse)*, Albert Dinan, Jean-Louis Maury, Pierre Vernier, Claude Chabrol, Jeanne

Perez, Mario David, Attal et Zardi.

Ronald, un oisif de Saint-Germain, entreprend d'infliger un châtiment particulier à Arthur qui a eu la malencontreuse idée de déplacer sa voiture. Piqué au vif dans son orgueil, Ronald loue les services d'Ambroisine, une soubrette aguichante dont Arthur tombe amoureux. Les infidélités d'Ambroisine avec Ronald, alors maître du jeu, attisent la passion d'Arthur. Le temps semble pourtant jouer en sa faveur. La belle aventurière lui est acquise. Mais, lorsqu'Arthur est certain qu'il l'a convaincue de l'épouser, Ambroisine disparaît. Ronald se réjouit alors du désarroi d'Arthur.

Ce qui frappe d'emblée dans ce film, c'est la lourdeur du tribut que doit payer Arthur, condamné à beaucoup souffrir pour une simple blague. Partant d'une futilité, d'un « rien », *les Godelureaux* serait une plante qui, poussant sur de la rocaille, surprendrait par son développement extraordinaire. Le film ne se contente pas d'une *amorce* anodine, comme les films d'Hitchcock usent de prétextes, de ses fameux « Mac-Guffin » ; il s'arrange pour que ce futile perdure et prospère. Le « rien » transcende largement son rôle d'amorce en devenant l'objet même du film.

L'auteur choisit à dessein un personnage naïf. Arthur incarne idéalement la propension à subir les choses, même torturantes ; il symbolise ainsi le spectateur incapable d'infléchir les événements. De là à nous sentir solidaires de l'aventure passive du personnage, le pas est vite franchi. La méthode chabrolienne consiste en ceci : afin de prouver l'existence du « rien », quoi de plus efficace que de conduire le spectateur à en être aussi la victime. Arthur (et donc un peu nous) fait l'expérience du vide. Les faits se dérobent sous lui au moment où il pense y trouver assise. Arthur voyait en Ronald son meilleur ami et c'est son pire ennemi. Il croit pouvoir épouser Ambroisine (et le spectateur, le temps d'une courte scène, souscrit à cette fausse certitude), voilà que la belle s'envole dans la nature.

De fait, Ambroisine est l'expression de ce « rien », une marionnette, actionnée par Ronald, ayant pour unique fonction de charmer Arthur. Cette mission remplie, elle apporte la preuve finale de son inexistence en disparaissant de la fiction [1]. Ambroisine est une abstraction, un leurre. Chabrol

---

1. « Le Mouchoir d'Hermès », André S. Labarthe, *Cahiers du cinéma* n° 111, mai 1961.

le montre dans une scène qu'il considère d'ailleurs comme « la clé du film ». Afin d'embrasser Ronald à l'insu d'Arthur, Ambroisine cache une bouteille de cognac pour inviter le premier de ses amis à la chercher avec elle. Mais très vite, tout le monde (y compris Arthur !) cherche la bouteille ; et le but initial, qu'Ambroisine se fasse embrasser par Ronald, se trouve oublié. « *Au départ,* conclut Chabrol, *on veut faire quelque chose, mais cette chose finit rapidement par disparaître, et il ne reste plus que la forme acquise* » [1]. Ambroisine feint d'aimer Arthur comme elle fait semblant de chercher le cognac. Ronald se rend complice du stratagème libertin d'Ambroisine, pour ensuite s'inquiéter réellement du sort de cette bouteille. Ambroisine et Ronald sont des personnages creux, des formes sans contenu ; et ils se satisfont de cet état. Face à ces deux abstractions, Arthur est bien l'unique être vivant : lui seul se rend capable d'aimer. Malheureusement, cet amoureux ne sait pas « mettre les formes » à son amour, et multiplie les maladresses : Ronald ne se prive pas de le lui dire. C'est que justement Arthur est un contenu sans forme.

Au-delà de ses personnages, *les Godelureaux* exprime aussi le « rien » en s'auto-détruisant. Toute scène est immédiatement contredite par une autre. Lors d'une fête, Ronald annonce qu'il ne veut pas d'orgie ; ce qui suit y ressemble fort. Arthur se fâche avec Ambroisine dans des circonstances précises : balade dans des jardins parisiens, achat de crustacés, visite distraite d'un musée ; ce sont ces mêmes circonstances qui scellent la réconciliation du couple. Ambroisine est enceinte et a déjà un enfant ; elle ne l'est plus et n'a jamais eu de progéniture − le landau est symboliquement jeté du haut d'un escalier, pastiche cuisant (du *Cuirassé Potemkine*) qui en dit long sur la volonté de rupture de l'auteur avec le cinéma classique.

On s'en remettra à A.S. Labarthe, lequel divise le récit en deux mouvements. Le projet de mariage s'apparente à une happy end qui conclut un premier mouvement. Et un second renverse l'heureuse perspective. Les deux chapitres, quantitativement égaux, s'annulent. Reste donc : « rien ».

Pour quelle morale ? Arthur s'éprend d'Ambroisine, essentiellement caractérisée par le vide. Le souffre-douleur de

---

1. Interview, *Cahiers du cinéma* n° 138, décembre 1962.

Ronald, attiré par le néant, aurait « de toute façon » rencontré une autre Ambroisine. Arthur a juste été au devant de son bourreau. Pour celui-ci, la question du remords ne se pose donc pas, l'amoureux n'étant victime que de lui-même. En vouant le seul être vivant, Arthur, à l'autodestruction, *les Godelureaux* serait alors franchement noir, n'était-ce la dernière scène.

Tandis qu'Ambroisine joue encore la comédie en prenant des airs de belle Américaine, Arthur, lui, jouit d'un bonheur, certes discret mais solide, avec une autre femme. Le voilà guéri de son attirance pour le vide, et de son inquiétante fascination pour Ronald. On est loin des *Cousins* où Charles/Blain deviendrait ce qu'était déjà Paul/Brialy [1].

L'Avarice (1962)

Sketch des *Sept Péchés capitaux*

Producteur : Gibé-Franco-London-Titanus
Scénario : Félicien Marceau
Images : Jean Rabier
Son : Jean Labussière
Décors : Bernard Evein
Musique : Pierre Jansen
Montage : Jacques Gaillard
Distributeur : Pathé-Consortium
Durée : 18 minutes.

Interprétation : Jacques Charrier, Jean-Claude Brialy, Claude Rich, Sacha Briquet, Claude Berri, Jean-Pierre Cassel, André Jocelyn, Serge Bento, Jean-Claude Massoulier, André Chanal, Michel Benoist *(les polytechniciens)*, Danièle Barraud *(la prostituée)*, Claude Chabrol.

Des polytechniciens se livrent aux joies de la loterie dont le gagnant a droit à une nuit avec une prostituée. La timidité de l'heureux élu touche sa partenaire qui refuse son cachet. Autres sketches : *la Colère* (Eugène Ionesco, Sylvain Dhomme), *l'Envie* (Edouard Molinaro), *la Luxure* (Jacques

---

1. Jean Domarchi met judicieusement en avant les relations qu'entretient déjà Paul/Brialy avec Clovis, son père spirituel, le second représentant « l'avenir » du premier, pour montrer qu'à son tour Charles/Blain épousera la personnalité de Paul/Brialy — « Paul ou les ambiguïtés », *Cahiers du cinéma* n° 94, avril 1959.

Demy), *l'Orgueil* (Roger Vadim), *la Gourmandise* (Philippe de Broca), *la Paresse* (Jean-Luc Godard).

L'Œil du malin (1962)

Producteur : Rome-Paris-Films (Georges de Beauregard)
Scénario : Claude Chabrol
Images : Jean Rabier (N et B)
Son : Jean-Claude Marchetti
Musique : Pierre Jansen
Montage : Jacques Gaillard
Distributeur : Lux Films
Durée : 80 minutes.

Interprétation : Stéphane Audran *(Hélène Hartmann)*, Jacques Charrier *(Albin Mercier)*, Walter Reyer *(Andréas Hartmann)*, Daniel Boulanger *(le commissaire)*.

Albin Mercier, journaliste, envoyé dans une petite ville de Bavière pour écrire un reportage, fait la connaissance d'Andréas Hartmann, un romancier et d'Hélène, sa femme. Albin est étonné de l'harmonie de ce couple. Il suit Hélène qui passe ses journées à Munich. Là, il découvre qu'Hélène trompe son mari. Afin d'obtenir ses faveurs, Albin tente de la faire chanter. Elle ne cède pas. Fou de rage, il révèle la vérité à Andréas, lequel, désespéré, tue son épouse puis avoue son crime à la police.

Envieux, déséquilibré, Albin Mercier a découvert l'infidélité d'Hélène. Se croyant « malin », il pense « tenir » le couple dans son pouvoir. Iago de second ordre (il pousse Andréas/ Othello à tuer Hélène/Desdémone, bien que cette dernière, à la différence de l'héroïne de Shakespeare, soit effectivement infidèle), il ne suscite guère la sympathie, encore moins l'identification. Son regard, son « œil », porterait plutôt la mort ! Mais il y a plus insidieux. Mercier déclenche chez nous un sentiment ambivalent. Sans ce « malin », Andréas aurait pu vivre dans une ignorance tranquille. Et nous, spectateurs, nous sentons trompés, car nous avions adhéré à l'image de ce couple si harmonieux. La « traversée » de cette « apparence » est cruelle.

Le plus étonnant est que Chabrol propulse ce drôle de personnage au devant de la scène, comme narrateur. Le spectateur est ainsi amené à douter de la véracité du récit. Quand Mercier se confesse à Andréas, lequel redouble les remords du reporter en disant que lui, Albin, a finalement

Cinémathèque française

Sans lui, nous aurions pu vivre dans une ignorance tranquille.

commis une sorte de crime parfait [1], on peut même douter de la réalité de la scène. Peut-être n'est-elle que le fruit de la seule imagination de Mercier, de son désir de se donner bonne conscience ?

Une dernière phrase confirme nos doutes quant à ce personnage décidément bien singulier. « Je ne peux pas m'empêcher de raconter cette histoire, dit-il en concluant son récit, et les gens me demandent pourquoi un garçon aussi sympathique que moi prend plaisir à se salir les mains ». Sa névrose semble le libérer de tous remords. Mais, à la réflexion, d'autres formes de doutes s'emparent de nous.

« Je ne peux pas m'empêcher de raconter cette histoire » : elle n'a donc pas quitté Albin. Et la prédiction d'Andréas (selon laquelle cette sinistre affaire marquerait Mercier jusqu'à la fin de ses jours) était pertinente. « Prend plaisir » : de la provocation pure et simple ; or qu'est-ce, sinon une manière de se protéger ? « Le malin » vit en fait une tragédie depuis le geste mortel d'Hartmann. Et il ne veut pas l'avouer, aux

---

1. Albin a, en quelque sorte, fait tuer Hélène par Andréas.

autres et à lui-même. Mais, pour autant, sommes-nous prêts à pardonner à un être déséquilibré, de surcroît lamentable dans son désarroi, qui met autant de mauvaise volonté à reconnaître ses crimes ?

Ophélia (1963)

Producteur : Boréal-Films
Scénario : Claude Chabrol, Paul Gégauff
Images : Jean Rabier (N et B)
Son : Jean-Claude Marchetti
Musique : Pierre Jansen
Montage : Jacques Gaillard
Distributeur : Lux Films
Durée : 102 minutes.

Interprétation : Alida Valli *(Claudia Lesurf)*, André Jocelyn *(Yvan Lesurf)*, Claude Cerval *(l'oncle Adrien)*, Juliette May-niel *(Lucie)*, Robert Burnier *(André Lagrange)*, Jean-Louis Maury *(Sparkos)*, Sacha Briquet, Liliane David, Pierre Ver-nier, Serge Bento, Roger Carrel, Lazlo Szabo, Attal et Zardi.

Yvan vient de perdre son père. Sa mère, Claudia, épouse l'oncle Adrien, le frère de feu son mari, qui s'installe dans le château familial. Fidèle au souvenir de son père, Yvan ne supporte pas ce remariage. Fantasque, il se réfugie dans l'univers tragique de Hamlet. Son imagination l'amène à accuser sa mère et son beau-père d'être à l'origine du décès du premier époux. L'oncle Adrien ne survit pas à une telle accusation. Cette mort satisferait Yvan s'il n'apprenait qu'Adrien était son vrai père. Il essaie de retrouver la paix dans les bras de Lucie, l'amie qui avait tenté d'empêcher le drame.

Shakespeare encore, mais explicitement — et peut-être une fausse bonne idée. Albin jugeait abject qu'Hélène se refuse à lui ; Yvan se choque du mariage de sa mère, qu'il interprète comme une trahison envers son père défunt. Voilà deux personnages incapables de faire face à une situation qui se présente à eux brutalement.

Toutefois, leurs réactions sont différentes. Le premier, re-porter de formation, trouvait une faille réelle, l'infidélité d'Hélène Hartmann, grâce à laquelle il essayait d'obtenir les faveurs de l'épouse retorse. Le second puise dans *Hamlet* le scénario, ou plutôt ce qu'il croit être la preuve de la culpabi-lité de Claudia et Adrien. Albin fondait sa conduite sur une enquête policière, méthodique ; Yvan se contente de suivre le texte de Shakespeare. Le premier s'inspire du documentaire (même si la fiction finit par le gagner) ; le second, de la fiction, mais la mieux reconnue du monde.

« *En un sens,* dit Chabrol [1], *le film est plus complexe (que* l'*Œil du malin), mais il y a davantage de points de repères.* Hamlet *existe, et, à partir de là, on peut retrouver ce qui est subjectif et ce qui ne l'est pas.* » On se permettra d'ajouter : en un sens seulement. La difficulté d'*Ophélia* ne vient pas directement du récit, mais d'Yvan, personnage complexe et intellectuel (à la différence d'Albin, proche parfois de la carence mentale).

Chabrol tente de répondre au souhait d'un public qui tend à préférer un personnage intelligent dans un récit simple. Tout le contraire de *l'Œil du malin* qui reposait sur un personnage simple dans un récit « brillant », mais compliqué [2]. Comment expliquer alors l'échec commercial d'*Ophélia* ?

Peut-être par Lucie. Elle n'est pas blonde mais brune, pas Ophélie mais « lumière », ainsi que le suggère son nom. Alertée par le caractère fantasque d'Yvan, elle tente de le ramener à la luci-dité. Ce faisant, elle met à jour la névrose de notre héros « shakespearien ». Trop clairement peut-être, et trop rapidement sûrement. Voilà qui n'est pas banal : sans pour autant parvenir à empêcher la mort de l'oncle Adrien, Lucie, le personnage positif, détruit le ressort dramatique du film. La jeune femme « lumière » porte ainsi la responsabilité de l'échec « fictionnel » du film.

Chabrol se souviendra que le récit est « aussi » un art de dissimulation.

Landru (1963)

Producteur : Rome-Paris-Films, C.C.C. (Rome)
Scénario : Françoise Sagan, Claude Chabrol
Images : Jean Rabier (Eastmancolor)
Son : Julien Coutelier
Décors : Jacques Saulnier
Musique : Pierre Jansen
Montage : Jacques Gaillard

---

1. Interview, *Cahiers du cinéma* n° 138, décembre 1962.
2. Albin raconte sa propre aventure par une voix simultanément contredite par l'image.

Distributeur : Lux-CCF
Durée : 115 minutes.

Interprétation : Charles Denner *(Landru)*, Danièle Darrieux *(Berthe)*, Michèle Morgan *(Célestine)*, Juliette *(Anna)*, Catherine Rouvel *(Andrée)*, Françoise Lugagne *(madame Landru)*, Mary Marquet *(madame Guillin)*, Stéphane Audran *(Fernande)*, Hildegarde Neff *(l'Allemande)*, Denise Provence *(la sœur de Célestine)*, Serge Bento *(le fils Landru)*, Jean-Louis Maury *(le commissaire Belin)*, Sacha Briquet *(le substitut)*, Robert Burnier *(le président)*, Mario David *(le procureur)*, Raymond Queneau *(Clémenceau)*, Jean-Pierre Melville *(Mandel)*, Attal et Zardi.

Paris, la première guerre mondiale. Pour subvenir aux besoins de sa famille, Landru fait signer des procurations à des femmes qu'il trucide. L'homme, grand séducteur, est passé maître en la matière. Sa méthode est toujours la même : rencontre aux Tuileries, soirée à l'Opéra, et séjour dans sa maison de campagne, à Gambais. L'épouse, Catherine, se plaint de ces absences répétées, dont elle ne soupçonne pas la raison. Landru entretient aussi une maîtresse, Fernande. Il finit par se faire prendre par la sœur d'une victime qui l'a reconnu. A son procès, il multiplie les provocations, et finit sous la guillotine.

S'ouvrant sur un repas familial, paisible en apparence, *Landru* inaugure ces scènes de fausse convivialité bourgeoise qui vont caractériser les récits futurs, condensés-symboles de la représentation que le monde (bourgeois) se donne de lui-même. Toutes souligneront les contradictions entre les apparences de bienséance et d'autosatisfaction de cette bourgeoisie, et les crises de tout ordre qui couvent sous les masques. Ici, la famille entière, bien mise, est réunie autour d'une table qui l'est autant. Comme il se doit, la domestique apporte le plat, du « hachis » [1]. Avec lui, surgit la crise qui embraye la fiction.

Malgré un début aussi prometteur, le film doit moins sa subtilité à l'histoire proprement dite qu'à la cocasserie d'un personnage chez qui cohabitent finement les extrêmes du bien et du mal. Ainsi une future victime finit-elle par dire à son meurtrier : « Tu es la preuve que Dieu existe ». Ne dit-on pas qu'il faut le diable pour penser Dieu, et Dieu pour définir

---

1. Cf. « Le cinéma de Chabrol ».

le diable ?

A y regarder de plus près, le personnage de Landru « traverse » bien plus « d'apparences » que ses prédécesseurs. L'homme a peu de rivaux (ils sont tous sur le front), mais n'en est pas moins expert à flatter le paraître de ses victimes. Il lave symboliquement l'une d'entre elles, dont la peau sortira plus nette. On songe à la « peau de Florence », et à Paul/Brialy dans *les Cousins*. Ce dernier est incontestablement l'ancêtre de Landru, mais un aîné naïf.

Landru a plus de profondeur. Paul ne cherchait pas à percer des mystères ; Landru va jusqu'à se demander si « les objets inanimés ont une âme ». La représentation, vécue comme une fin chez le « cousin », n'est qu'un moyen pour lui. Landru méprise l'argent comme « du papier », mais connaît bien les rouages de la finance (comme le Verdoux de Chaplin). Après leur mort, Landru déchire les photographies (encore du papier) qu'il a faites des femmes : pour lui, le monde, sale et vide, se cache derrière ses images (papier-monnaie, papier-photo), « du vent ». Paul, pourtant futile à bien des égards, ne plaisantait pas avec le papier-diplôme ; il appartenait bien à son temps.

Landru, lui, devance le sien, et le contemple avec une ironie toute chabrolienne.

L'homme qui vendit la tour Eiffel
Sketch des *Plus belles escroqueries du monde*

Producteur : Ulysse (Paris), Primex (Paris), Vides (Rome), Caesar (Amsterdam), Toho (Tokyo)
Scénario : Paul Gégauff
Images : Jean Rabier
Son : Jean-Claude Marchetti
Musique : Pierre Jansen
Montage : Jacques Gaillard
Distributeur : Lux
Durée : 18 minutes.

Interprétation : Francis Blanche *(l'acheteur)*, Jean-Pierre Cassel *(l'escroc)*, Catherine Deneuve, Sacha Briquet, Philomène Toulouse.

Un escroc vend la tour Eiffel au prix de son poids... Autres sketches : *Les Cinq Bienfaiteurs de Fumiko* (Hiromichi Horikawa), *la Rivière de diamants* (Roman Polanski), *la Feuille de route* (Ugo Gregoretti), *le Grand Escroc* (Jean-Luc Godard).

Le Tigre aime la chair fraîche (1964)

Producteur : Progefi (Christine Gouze-Rénal)
Scénario : Antoine Flachot (Roger Hanin)
Images : Jean Rabier
Son : Jean-Claude Marchetti
Musique : Pierre Jansen
Montage : Jacques Gaillard
Distributeur : Gaumont
Durée : 85 minutes.

Interprétation : Roger Hanin *(le Tigre)*, Maria Mauban *(madame Baskine)*, Daniela Bianchi *(la fille de Baskine)*, Sauveur Sasportes *(Baskine)*, Mario David *(Dobrovsky)*, Roger Dumas *(Duvet)*, Pierre Moro *(Ghislain)*, Jimmy Caroubi *(le nain)*, Stephane Audran *(la chanteuse)*, Antonio Passalia *(Koubassi)*, Albert Dagnan, Roger Rudel, Carlo Nell, Attal et Zardi.

On veut empêcher la vente d'avions de guerre français à la Turquie. Le Tigre, agent de la DST, est chargé de protéger Baskine, l'émissaire turc venu en France pour négocier le marché entre les deux pays. Aidé de ses camarades, dont Duvet, le génial bricoleur de la police, le Tigre évite un premier attentat. Mais la fille de l'émissaire, Mehlica, est enlevée. Le Tigre parvient à la libérer des griffes de ses ravisseurs dont le chef n'est autre que Koubassi, le secrétaire de l'émissaire. Le Tigre a rempli sa mission. Le contrat sera signé.

Malgré la différence du sujet (c'est un film d'espionnage), *Le Tigre aime la chair fraîche* est la suite des *Godelureaux*, parce qu'il est une réflexion sur le vide. Parodique, ce *Tigre* dit d'abord que les films d'espionnage ne doivent pas être pris au sérieux. Et ensuite ?

S'effaçant derrière le scénario, le film n'est pas plus que ce qu'il raconte. Autrement dit, le récit équivaut strictement au propos. Ou, si l'on veut, le sujet, à l'objet. La parodie ne peut donc détruire le premier sans le second. Du film, il ne reste rien, sinon un sentiment, fort, de gratuité élevée (grâce à la mise en scène) à une dimension quasi métaphysique. Et c'est cela qui est vraiment drôle, non le jeu parodique autour de l'espionnage.

Quand Roger Hanin, grandiloquent, se répand dans son spleen ou se gonfle face au danger, ce n'est pas pour rien,

Qu'est-ce qu'ils regardent ? Rien !

Cinémathèque française

mais (à l'instar des *Godelureaux*) pour « le rien ».

Le Tigre aime la chair fraîche est une célébration drolatique de l'inutile, que d'ailleurs la forme épouse merveilleusement. Chabrol colore arbitrairement la pellicule, fait dans le faux-raccord gratuit, multiplie artificiellement les plans pour des scènes insignifiantes. Chabrol ne met pas en scène, il fait du cinéma pour le cinéma. En cela, ce *Tigre* est encore un produit typiquement « Nouvelle Vague ». La gratuité n'exclut pas la grâce.

La Muette (1965)
Sketch de *Paris vu par...*

Producteur : Films du Losange (Barbet Schroeder), Sodireg (Patrick Bauchau)
Scénario : Claude Chabrol
Images : Jean Rabier (16 mm, couleur)
Décors : Eliane Bonneau
Montage : Jacqueline Raynal
Distributeur : Sodireg
Durée : 14 minutes.

Interprétation : Claude Chabrol *(le père)*, Stéphane Audran *(la mère)*, Gilles Chusseau *(le fils)*, Dinah Saryl *(la bonne)*.

Un adolescent des beaux quartiers de la Muette se met des boules Quies dans les oreilles pour ne plus entendre les bavardages et les disputes de ses parents. Heureux, il n'entend pas les plaintes de sa mère qui a fait une chute mortelle dans l'escalier.

Autres sketches : *Rue Saint-Denis* (J.D. Pollet), *Gare du Nord* (J. Rouch), *Saint-Germain des Prés* (J. Douchet), *Place de l'Etoile* (E. Rohmer), *Montparnasse et Levallois* (J.L. Godard).

Rappelons brièvement l'enjeu de *Paris vu par*, auquel s'intègre le sketch de *la Muette*. Chaque cinéaste est tenu de filmer un quartier de Paris, et se contente d'un outil léger, tant sur le plan du scénario, pour certains à peine esquissé, que celui de la production. Alors que la Nouvelle Vague est en passe de s'éteindre, *Paris vu par* entend rappeler son éthique.

Court-métrage virulent, en partie grâce au jeu extravagant du cinéaste-acteur, *la Muette* repose sur une ambiguïté typiquement chabrolienne. L'histoire, en se développant, remet en question ses présupposés. Le spectateur donne raison à l'adolescent de ne pas vouloir entendre ses parents, jusqu'au moment où la mère reste sans secours à cause de la surdité volontaire de l'enfant. Pour Chabrol, il y a une différence de taille entre ne pas écouter et ne pas entendre. Le premier est une solution moyenne, et réversible. Le second est extrême ; et son irréversibilité, tragique.

Coupé du monde sonore, l'adolescent ne perçoit plus de ses parents que des faciès grimaçants. Chabrol nous fait partager cette sensation solitaire (et égotiste) en réduisant ses personnages au silence. Ils en sont à la fois plus drôles et plus tragiques. Car l'image « muette » souligne leur médiocrité. C'est comme si l'on avait privé Landru (ou Paul des *Cousins*) de la parole. L'image (prise à la légère dans *le Tigre aime la chair fraîche*) retrouve sa vertu première : la vérité, une fois « traversées les apparences » du langage.

Marie-Chantal contre docteur Kha (1965)

Producteur : Rome-Paris-Films (G. de Beauregard), Dia (Madrid), Mega (Rome), Maghreb-Unifilms (Casablanca)
Scénario : Claude Chabrol, Christian Yve, Jacques Chazot (pour son idée du personnage), Daniel Boulanger
Images : Jean Rabier (Eastmancolor)

Son : Guy Odet
Décors : Guy Littaye
Musique : Pierre Jansen
Montage : Jacques Gaillard
Distributeur : SNC
Durée : 114 minutes.

Interprétation : Marie Laforêt *(Marie-Chantal)*, Roger Hanin *(Kerrien)*, Stéphane Audran *(Olga)*, Francisco Rabal *(Paco Castillo)*, Akim Tamiroff *(docteur Lambaré et docteur Kha)*, Serge Reggiani *(Ivanov)*, Gilles Chusseau *(le fils d'Ivanov)*, Charles Denner *(Johnson)*, Pierre Moro *(Hubert)*, Claude Chabrol *(le barman)*, Robert Burnier *(le tueur du docteur Kha)*, Antonio Passalia *(Sparafucile)*, Serge Bento.

Kerrien tue Dumont, l'un des neuf savants dirigés par le professeur Lambaré, qui s'apprêtait à vendre un bijou au docteur Kha. Se sentant menacé, Kerrien confie l'objet précieux à Marie-Chantal. Mais des espions soviétiques, anglais, américains, suivent Kerrien, persuadés que celui-ci est encore en possession du bijou, et le tuent. Le docteur Kha (en fait le professeur Lambaré) comprend alors que Marie-Chantal détient le bijou et parvient à le lui subtiliser. Mais, sans le savoir, Marie-Chantal conserve deux rubis, qui contiennent un terrible poison. L'espionne échappe aux griffes du docteur Kha. Mais pour combien de temps ?

Du *Tigre aime la chair fraîche, Marie-Chantal* conserve le caractère parodique, et la même attirance pour le « rien », élevé ici au grand art, comme lors de cette conversation presque surréaliste dans le wagon-restaurant : « La purée ressemble à de la macédoine », remarque un convive. « C'est normal, objecte un autre, c'en est ».

Si Chabrol respecte le genre à la lettre [1], c'est à l'esprit que l'auteur est moins fidèle. Selon l'histoire, Marie-Chantal sort victorieuse : elle possède toujours le poison, tant convoité par Kha. Mais au-delà de cette « apparence » ?

Le film commence dans un train, et finit dans un avion, où, comme par hasard, le stewart propose le même menu. Par cette structure en boucle, *Marie-Chantal* peut apparaître comme une parenthèse dans un roman fleuve dont nous ne connaissons (comme dans *les Bonnes Femmes*), ni l'origine ni la fin.

Jeune bourgeoise insouciante, Marie-Chantal est « lâchée »

---

1. Cf. « Le décor chabrolien ».

dans un monde qui lui est fondamentalement étranger. Naguère naturelle dans sa superficialité, naïve dans son ignorance, la jeune femme apprend l'ambivalence du monde. Face à elle, le docteur Kha joue de ses apparences. Il « habite » le bon docteur Lambaré, comme le Mabuse de Lang habitait le docteur Baum dans *le Testament du docteur Mabuse*.

Mais chez ce Mabuse chabrolien demeure une « humanité » étrangère au modèle. Le héros de Lang dictait ses crimes par télépathie, et exerçait sur ses victimes un pouvoir absolu. Kha, dans la peau de Lambaré, ne se sent pas si sûr de lui, et contrôle moins facilement la personnalité de ses subordonnés. Il doit d'ailleurs à l'occasion payer leurs services. Ce n'est pas par soumission que Dumont, le traître, propose le poison, mais par intérêt.

Kha et Lambaré se confondent dans une même personne. Le bien et le mal forment ainsi, comme chez Landru, un tout indivisible. Est-ce Kha... ou Lambaré qui manipule le poison ? Par ailleurs, si les neuf savants sont comme les neufs apôtres, si Dumont est Judas, qui donc est Lambaré ? Décidément, Chabrol brouille les pistes, comme pour souligner, une fois encore, que toute morale est vaine.

Marie-Chantal contre docteur Kha est le seul film d'espionnage où Chabrol s'amuse vraiment ; sans doute parce qu'ici le genre sert merveilleusement le propos. Les personnages, tous plus loufoques les uns que les autres, se renvoient joyeusement la balle. Un espion passe de l'accent américain à la gouaille parisienne. Un autre, soviétique, est tyrannisé par son fils. Chabrol, lui-même, est de la fête en jouant un barman empoisonneur qui finit empoisonné. A trop jouer...

Le Tigre se parfume à la dynamite (1965)

Producteur : Progefi (C. Gouze-Rénal), Dino de Laurentis (Rome), Balcazar (Barcelone)
Scénario : Antoine Flachot (R. Hanin), Jean Curtelin
Images : Jean Rabier (Eastmancolor)
Son : Jean-Claude Marchetti
Musique : Jean Wiener
Montage : Jacques Gaillard
Distributeur : Gaumont
Durée : 85 minutes.

Interprétation : Roger Hanin *(le Tigre)*, Michel Bouquet *(Ver-*

morel), Margaret Lee *(Pamela)*, Roger Dumas*(Duvet)*, Jean-Marc Caffarel *(colonel Pontarlier)*, Georges Rigaud *(commandant Damerec)*, Micaela Cendali *(Sarita Sanchez)*, Claude Chabrol *(un médecin)*, Dodo Assad Bahador *(Hanz Hienz von Wunchendorf)*, Carlos Casaravilla *(Ricardo Sanchez)*, Michel Etcheverry, Pepe Nieto.

Des renseignements font état de troubles politiques en Guyane. Arrivé sur place, le Tigre affronte une organisation dont la tête pensante est Vermorel, lequel veut déstabiliser le pays par un complot fasciste. Mais le Tigre doit surtout affronter Pamela, une femme bien mystérieuse...

On se reportera au *Tigre* précédent dont les remarques restent valables pour ce film-ci.

La Ligne de démarcation (1966)

Producteur : Rome-Paris-Films (G. de Beauregard), SNC
Scénario : Colonel Rémy, Claude Chabrol
Images : Jean Rabier (N et B)
Son : Guy Chichignoud
Décors : Guy Littaye
Musique : Pierre Jansen
Montage : Jacques Gaillard
Distributeur : CCFC
Durée : 115 minutes.

Interprétation : Maurice Ronet *(Pierre, comte de Damville)*, Jean Seberg *(Mary, sa femme)*, Daniel Gélin *(docteur Lafarge)*, Stéphane Audran *(madame Lafaye)*, Jean Yanne *(l'instituteur)*, Jacques Perrin *(Michel)*, Noël Rocquevert *(le patron du café)*, Roger Dumas *(Chéti)*, Mario David *(le garde-chasse)*, Jean-Louis Maury et Paul Gégauff *(les agents de la Gestapo)*, Claude Berri *(le chef de la famille juive)*, Reinherdt Kolldehoff *(major von Pritsch)*, Claude Leveillée *(l'Anglais)*, René Havard *(Loiseau)*, Serge Bento *(le coiffeur)*, Pierre Gualdi *(le curé)*, Rudy Lenoir, Gilbert Servien, Jean-Louis Le Goff, Attal et Zardi.

Pendant l'occupation, un village du Jura est coupé par la ligne de démarcation. Pierre, officier de l'armée française, a été fait prisonnier par les Allemands. Libéré, il voit son château transformé en Kommandantur, et consent à la collaboration, contrairement à Mary, son épouse, d'origine anglaise, qui se rallie à la thèse gaulliste. Fraîchement arrivés, deux agents de la Gestapo soupçonnent la population de protéger des « terroristes ». Celle-ci se mobilise en effet, du curé jusqu'à l'instituteur en passant par le docteur Lafarge dont l'épouse ne sait rien de son activité de résistant. Entre-temps, Mary est arrêtée. Et Pierre ne peut rien faire. A la faveur d'un enterrement, un résistant passe la ligne, caché dans un cercueil. Pierre sacrifie sa vie, héroïquement, au cours de cette action, tandis que la population chante la « Marseillaise ».

Le partage du village par la rivière (qui matérialise la ligne de démarcation) est une idée assez chabrolienne, le cinéaste aimant montrer des personnages ou des lieux divisés. Mais le scénario convenu du colonel Rémy pousse à la caricature, et les personnages sont privés de cette épaisseur de doute qui amène souvent le héros chabrolien à se remettre en question.

De part et d'autre de la rivière, les protagonistes ne sont que « positionnés », tirés à la surface du symbole, comme les Damville autour desquels gravite ce film. Pierre, qui « hait les illusions », pense que le gaullisme de Mary est une chimère. Elle, ne supporte pas de voir son époux sombrer dans la collaboration, fût-ce par pragmatisme. Surtout par pragmatisme ! Car Mary place l'idéal à des sommets que Pierre, trop prosaïque, ne soupçonne pas. Fondamentalement opposés, la ligne les rend encore plus étrangers l'un à l'autre.

Seul Loiseau, l'indicateur, hésite entre deux camps. Maudit par l'une et l'autre, il finit dans les caves allemandes. Le meilleur messager du monde (« l'oiseau ») ne saurait concilier l'inconciliable. Un sort parallèle attend Chéti à qui, quoique bien intégré dans le village, on ne pardonnera pas de livrer des Juifs aux Allemands.

En abandonnant Loiseau, Chéti, puis Damville (qui sans renier la collaboration comprend tardivement la résistance), Chabrol renonce ici à une « traversée des apparences » que le scénario décourage. La complexité de ces personnages les voue automatiquement à disparaître. C'est à ce niveau que *la Ligne de démarcation*, après *les Godelureaux*, les *Tigres*, est un film pour le « rien ».

Le Scandale (1967)

Producteur : Universal-France (Raymond Eger)

Scénario : Claude Brûlé, Derek Prouse, Paul Gegauff
Images : Jean Rabier (technicolor)
Son : Guy Chichignoud
Décors : Rino Mondellini
Musique : Pierre Jansen
Montage : Jacques Gaillard
Distributeur : Universal
Durée : 110 minutes.

Interprétation : Maurice Ronet *(Paul Wagner)*, Anthony Perkins *(Christopher Belling)*, Yvonne Furneaux *(Christine Belling)*, Stéphane Audran *(Jacqueline)*, Christa Lang *(Paula)*, Catherine Sola *(Denise)*, Suzanne Lloyd *(Evelyne Whartom)*, Henry Jones *(M. Clark)*, George Skaff *(M. Loukhoum)*, Marie-Ange Anies *(Michèle)*, Robert Burniel, Attal et Zardi.

Paul Wagner, riche héritier d'une marque de champagne, souffre d'un traumatisme crânien dont il se remet lentement. Christine Belling s'occupe de l'affaire qu'elle voudrait bien vendre. Mais Paul, encore conscient, refuse de se laisser dépouiller. Les meurtres d'une prostituée et d'une artiste, dont tout l'accuse, le conduisent à demander l'appui de Christine. Mais cette dernière est retrouvée dans son lit, étranglée. Paul est encore le premier suspect. Il comprend que Jacqueline, la fidèle secrétaire, joue un rôle dans cette histoire. Plutôt discrète, elle est en fait l'alliée de Christopher, le mari de Christine. Ensemble, ils entendent détourner la fortune des champagnes Wagner...

Après des films que Chabrol savait superficiels, le pare-brise du générique, éclaté par la tête de Paul Wagner, annonce une œuvre qui creuse les apparences. L'auteur revient à une inspiration plus ancienne, peut-être surtout à *l'Œil du malin*. Ce film extériorisait la névrose d'Albin. *Le Scandale* expose le doute de Wagner.

Malade, celui-ci souffre d'une perte d'identité que cultivent savamment ses ennemis. Le projet de Christine de vendre l'affaire familiale risque d'ailleurs de lui « confisquer » son nom. Paul s'angoisse à l'idée de ne pas demeurer Paul Wagner, des champagnes Wagner. L'être qu'il revendique repose paradoxalement sur du paraître.

D'une certaine façon, il arrive à Wagner ce qui est déjà arrivé à Christopher. Avant son mariage, celui-ci était un aventurier qui rêvait de voyages et de liberté. Mais il a fini en gigolo, et a, justement, renoncé à son vrai nom, Jacky.

Il est ce que sera (est déjà) Wagner. C'est un vernis ; d'ailleurs, comme tous les personnages chabroliens de cet acabit, Christopher soigne obsessionnellement sa peau dont il ne supporte aucune souillure.

Par-delà Jacky, on trouve... Jacqueline. Les deux personnages sont déjà liés par le prénom. La secrétaire est allée plus loin encore dans le déni de soi. Elle a abandonné son vrai visage, jusqu'à s'enlaidir. Paul, Christopher, Jacqueline : chacun représente une étape sur le chemin de l'horreur. Et Christine ?

Calculatrice avouée, elle est pourtant la moins trouble. La femme d'affaires ne cache pas ses projets dont Paul connaît la finalité. Son jeu est clair avec Christopher. Dans cet enfer des masques, elle ne peut être que perdante, et, de fait, vite exclue de la partie. Sur le court de tennis, elle regarde Christopher et Paul. Christine est « hors jeu ».

Au tennis, justement, Christopher se laisse battre. En bon disciple de Jacqueline, apparemment écrasée par un entourage qui ne songe pas à se méfier, il feint l'infériorité devant

Les champagnes Wagner font *Scandale* — tournage.

son adversaire pour mieux l'anéantir. Flattez l'orgueil, vous obtiendrez ce que vous voudrez...

En s'immisçant dans tous les personnages, le mal élargit à tous le principe d'ambivalence. En amorce du récit, la courbe sinusoïdale de l'encéphalogramme de Wagner oscille indéfiniment entre ses crêtes positives et négatives, comme l'être entre le bien et le mal. *Le Scandale*, c'est donc : Paul est innocent « puis » il est coupable « puis »... Mais, ajouté à cela, c'est aussi : « tandis que » Paul est coupable, Christopher est innocent. Et ainsi de suite, dans une combinatoire de plus en plus complexe. *Le Scandale* fait état d'une confusion morale dont l'empoignade finale entre les protagonistes a figure de symbole. Sur ce point, il est la suite de *Marie-Chantal contre docteur Kha*. Ce film-ci, se servait de l'humour pour distiller cette confusion. Là, c'est la forme, éclatée, à l'image de Wagner, une excentricité encouragée par un filmage exubérant (en technicolor !) qui rappelle des dérives « psychologiques » hollywoodiennes. Disons, entre Hitchcock et Minnelli.

La Route de Corinthe (1967)

Producteur : Films La Boétie (André Génovès), Orion-Films (Paris), CGFC (Rome)
Scénario : Daniel Boulanger, Claude Brûlé, d'après le roman de Claude Rank
Images : Jean Rabier (Eastmancolor)
Son : Guy Chichignoud
Décors : Aravantino
Musique : Pierre Jansen
Montage : Jacques Gaillard, Monique Fardoulis
Distributeur : CCFC
Durée : 90 minutes.

Interprétation : Jean Seberg *(Shanny)*, Maurice Ronet *(Dex)*, Michel Bouquet *(Sharps)*, Christian Marquand *(Robert)*, Claude Chabrol *(Alcibiade)*, Antonio Passalia *(le tueur)*, Saro Urzzi *(Khalidès)*.

En Grèce, de mystérieuses petites boîtes noires neutralisent les radars de l'OTAN. Robert, un agent secret, se fait tuer pour avoir tenté d'élucider le problème. Bien que Sharps, le chef de la victime, tente de l'en empêcher, Shanny, l'épouse de Robert, poursuit la mission périlleuse. Aux ordres de

Sharps, Dex est chargé de surveiller la jeune femme intrépide, mais, amoureux d'elle, celui qui fut l'ami de Robert consent à aider l'espionne amateur. Shanny dénoue finalement le mystère, et met fin aux activités de son dangereux instigateur, Khalidès. Ayant donné sa démission à Sharps, Dex quitte le pays avec la jeune veuve.

Pour qui veut bien lire entre les lignes de cette histoire improbable de sabotage, *la Route de Corinthe*, comme les *Tigres* ou, à un moindre titre, *Marie-Chantal*, est aussi une façon pour Chabrol d'évoquer les problèmes du cinéma, et la manière dont il se fait. Un type a une idée, dit en substance Dex à Robert, un second la modifie pour qu'elle soit « réalisée » par un troisième qui n'aura pas, ou si peu, tenu compte du concept original. Pour Chabrol, un film est ainsi le résultat d'emprunts successifs à des sources qui se diluent dans le produit final. Le fait est : *la Route de Corinthe* donne le sentiment, malgré son titre, de ne pas vraiment savoir où il va.

« Le type à idées », c'est incontestablement Robert, lequel n'adhère pas aux considérations de Dex, obsolètes selon lui « au pays d'Aristote ». Même en Grèce, pourtant, la réalité ne suit pas toujours la logique, et ne respecte pas les « idées neuves » : Robert ne survit pas à ses initiatives. Ainsi, au cinéma, les projets nouveaux, et l'imagination, sont suspects. Dex met pudiquement l'inventivité de Robert (mort) au compte d'une fantaisie attachante mais irréaliste. Et l'histoire lui donne raison : les petites boîtes noires, redoutables, camouflées dans les têtes des statues grecques ne symbolisent-elles pas la faillite de l'intelligence... et la défaite du « vrai » cinéma ? Aucun doute qu'il y ait là une réflexion désabusée (quoique sans amertume) sur la difficulté du Chabrol de cette époque à mener à bien ses projets d'auteur.

Shanny, personnage du « deuxième type », est aussi spontanée que son mari. C'est une autre « fantaisiste », pense Dex qui pensait la même chose de Robert. Mais, les obstacles aidant, elle devient rusée, découvre la complexité du monde et sa folie (comme jadis Marie-Chantal). Dex, lui, est du « troisième type », de ceux qui « réalisent ». Mais, amoureux de Shanny, il se laisse aussi influencer par la « fantaisie » de la jeune femme. Au sommet (si on peut dire), trône Sharps. Lui voit le monde tel qu'il est, fou, illogique, à l'antipode de l'ordre aristotélicien. Et Chabrol confirme sa vision en mettant en scène le chaos. Il passe du coq à l'âne et multiplie les incongruités. Un homme qu'on a ligoté subit la torture : l'instant d'après, il se libère les mains tout seul (il est magicien). Robert et Dex considèrent Sharps comme un imbécile, mais ils lui obéissent. La nature elle-même délire : les lapins de Chabrol caquettent ! Sharps est sans doute le plus sage lorsqu'il fait sienne la phrase de Cocteau : « Puisque ces mystères nous échappent, feignons d'en être l'organisateur. »

Où se situe « vraiment » Chabrol dans ce film ? La réponse est peut-être dans le personnage qu'il incarne. Celui-ci trahit son camp, celui du méchant Khalidès, certes peu enviable, en livrant des informations à Shanny. Chabrol trahit-il le cinéma d'auteur en faisant ce film d'espionnage ? Ou bien élève-t-il le genre à la dignité du cinéma d'auteur ? Son personnage s'appelle Alcibiade, du nom de l'homme de la Grèce antique, qui eut une carrière politique et militaire houleuse et finit assassiné (comme le personnage du film) pour avoir pactisé avec les deux camps adverses.

Le sort d'Alcibiade-Chabrol rappelle celui des Loiseau, Chéti et Damville, de *la Ligne de démarcation*. Ballotté entre des exigences peu conciliables, le cinéaste s'expose à l'incompréhension générale.

Les Biches (1966)

Producteur : Films La Boétie (A. Génovès), Alexandra (Rome)
Scénario : Claude Chabrol, Paul Gégauff
Images : Jean Rabier (Eastmancolor)
Son : Guy Chichignoud
Décors : Marc Berthier
Musique : Pierre Jansen
Montage : Jacques Gaillard
Distributeur : CCFC
Durée : 88 minutes.

Interprétation : Stéphane Audran *(Frédérique)*, Jacqueline Sassard *(Why)*, Jean-Louis Trintignant *(Paul)*, Henri Attal *(Robègue)*, Dominique Zardi *(Riais)*, Serge Bento *(l'antiquaire)*, Nane Germon *(Violetta)*, Claude Chabrol, Henri Frances.

Frédérique, une riche héritière, recueille Why qui, pour survivre, dessine dans la rue. Des liens ambigus se nouent entre les deux jeunes femmes, mais Why est attirée par Paul, un architecte. Frédérique comprend que sa protégée est amoureuse du jeune homme, et par jalousie, elle le séduit aussi. Mais elle s'éprend de lui à son tour, et Paul partage cet amour. Les nouveaux amants désirent vivre ensemble ; toutefois, par amitié pour elle, ils demandent à Why de rester avec eux. Elle accepte et souffre en silence ; puis laisse exploser sa rancœur et tue Frédérique. Why s'habille comme la morte, déguise sa voix. Elle « est » Frédérique.

Frédérique « descend » de Paul/Brialy des *Cousins*. Comme lui, elle est prompte à déceler les faiblesses d'autrui. Elle voit immédiatement une proie facile en Why qui est ce qu'elle dessine : une biche, prête à être dévorée. D'autant qu'en dessinant ce qu'elle est, Why trahit une incapacité à masquer sa nature fragile. Comme pour Charles *(les Cousins)*, on devine tout chez elle, contrairement à Frédérique qui sait cacher son jeu quand il le faut. Why a été recueillie —Charles/Blain l'était aussi — et elle devra apprendre le monde, en découvrir l'hypocrisie et la cruauté.

Quant à Paul/Trintignant, il est l'équivalent de Florence dont Charles, dans *les Cousins*, était amoureux. Florence éloignait Charles/Blain de Paul/Brialy, qui en souffrait : à cause de Trintignant, Why prend ses distances avec Frédérique. Paul/

Paul/Trintignant occupe le centre.

Cinémathèque française

49

Brialy séduisait alors Florence : Frédérique aguiche Trintignant, dans un même esprit de vengeance. A partir de là, *les Biches* s'écarte de son modèle.

Brialy considérait Florence comme un objet qui, devenu inutile, était jeté. Trintignant s'avère irremplaçable. Alors que Florence était prisonnière de son amant, l'inverse, ou presque, se produit dans la relation entre Paul/Trintignant et Frédérique. Why se brûlant aussi d'amour pour lui, Trintignant occupe le centre — d'où Florence finissait par être exclue.

Ce qui se découvrait progressivement, dans *les Cousins*, c'était la dépendance de Charles à l'égard de Paul, puis celle de Paul à l'égard de Charles. Ici, la « traversée des apparences » se fait différente. Why reste attachée à Frédérique, mais Frédérique découvre son indépendance sentimentale. La « traversée » de Frédérique, c'est la prise de conscience que son homosexualité était superficielle (Paul/Brialy suivait un itinéraire inverse). Dans le même temps, Why prend conscience de la profondeur de sa bisexualité. Le drame surgit ainsi du croisement de « traversées » inverses.

La Femme infidèle (1969)

Producteur : Films La Boétie (A. Génovès), Cinegay (Rome)
Scénario : Claude Chabrol
Images : Jean Rabier (Eastmancolor)
Son : Guy Chichignoud
Décors : Guy Littaye
Musique : Pierre Jansen
Montage : Jacques Gaillard
Distributeur : CFDC
Durée : 95 minutes.

Interprétation : Stéphane Audran *(Hélène Desvallées)*, Michel Bouquet *(Charles Desvallées)*, Maurice Ronet *(Victor Pégala)*, Michel Duchaussoy *(commissaire Duval)*, Guy Marly *(adjoint de police)*, Stéphane di Napoli *(Michel, le fils de Charles et d'Hélène)*, Serge Bento *(le détective)*, Henri Marteau *(Paul)*, Louise Chevalier *(la bonne)*, Louise Rioton *(la mère de Charles)*, François Moro-Giafferi *(Frédéric)*, Donatella Turri *(la secrétaire)*, Attal et Zardi.

Charles Desvallées, son épouse Hélène, et leur fils Michel, sont une famille heureuse. Rien ne devrait troubler leur quiétude. Pourtant Charles est convaincu qu'Hélène le trompe.

Un détective la surveille, et découvre qu'effectivement Hélène a un amant, Victor Pégala. A l'insu de sa femme, Charles lui rend visite, le tue et fait disparaître le corps. Ayant découvert l'adresse d'Hélène dans un carnet de Pégala, la police interroge l'épouse infidèle. Desvallées ne dit mot, mais sa femme comprend qu'il est l'assassin de Pégala. Hélène sait désormais que Charles est follement amoureux d'elle. Juste au moment où la police vient arrêter Desvallées.

Avant le générique, la mère de Charles Desvallées observe, sur une photo de son fils jeune, que celui-ci s'est un peu empâté ; ce que sa belle-fille, Hélène, conteste poliment. Cette séquence préfigure le conflit qui animera tout le film : celui opposant les images et les mots. Ainsi, Charles accorde plus de crédit à l'attitude d'Hélène (selon lui suspecte) qu'aux explications de celle-ci. Certes, le langage lui-même, dans *la Femme infidèle*, est double : lorsque la famille Desvallées, pour fêter le succès scolaire du fils, porte un toast « à cette journée mémorable », l'expression revêt des significations différentes dans la bouche de chacun. Michel, le fils, pense à sa bonne note ; Hélène, à son amant qu'elle n'a pas vu ; Charles, au crime qu'il vient de commettre.

Parallèlement, le problème du couple Desvallées est sa difficulté à communiquer. Hélène n'a pas osé « dire » cette sensualité que Charles a soupçonné trop tard. Elle parle avec des symboles ; par exemple, en offrant à son mari un énorme briquet pour leur anniversaire de mariage [1]. Cruelle ironie, ni le mari, ni (plus tard) l'amant à qui Hélène donne l'objet, n'en perçoivent le sens. De son côté, Charles n'ose « dire » l'amour qu'il porte à son épouse. Michel Bouquet exprime d'ailleurs merveilleusement cette méfiance du langage qui caractérise le personnage. Tout se passe comme si l'aventure d'Hélène, qui brise le couple, résultait d'un « malentendu », au sens premier du terme. Hélène n'a pas « entendu » l'amour de Charles, et lui n'a pas « entendu » les désirs de sa femme. Ni l'un ni l'autre n'ont été « dits ». Chabrol affirme ainsi, en dernière instance, la prédominance des mots, du langage. Au-delà des images, de leur « apparence trompeuse », il y a la vérité du discours, sur laquelle repose la « traversée des apparences ».

Le meurtre de l'amant, Pégala, fonctionne donc ici comme un révélateur, et l'ironie chabrolienne ne se prive pas de

---

1. Cf. « Le cinéma de Chabrol ».

souligner les paradoxes de cette révélation. La disparition de son amant ne touche la belle Hélène que le temps d'un sanglot (vite étouffé), et le dernier regard qu'elle jette à son mari semble confirmer ce dont le collègue de Charles, grand amateur de femmes, était convaincu : celles-ci, en définitive, se moquent du sexe.

D'un récit parfaitement linéaire, *la Femme infidèle* reste une des grandes réussites chabroliennes. On a envie de dire que les personnages sont l'objet d'un regard clinique (digne des *Bonnes Femmes*). Charles, que nous soupçonnons de paranoïa (laquelle, inexistante, révèle en fait notre propre névrose) rappelle le personnage de *El* ; même si, au-delà de Buñuel, la figure du soupçon demeure typiquement hitchkockienne.

Que la bête meure (1969)

Producteur : Films La Boétie (A. Génovès), Rizzoli Films (Rome)
Scénario : Paul Gégauff, Claude Chabrol, d'après le roman, *The Beast Must Die*, de Nicholas Blake
Images : Jean Rabier (Eastmancolor)
Son : Guy Chichignoud
Décors : Guy Littaye
Musique : Pierre Jansen, *Vier ernste Gesänge* de Brahms
Montage : Jacques Gaillard
Distributeur : CFDC
Durée : 113 minutes.

Interprétation : Jean Yanne *(Paul Decourt)*, Michel Duchaussoy *(Charles Thénier)*, Caroline Cellier *(Hélène Lanson)*, Anouk Ferjac *(Jeanne Decourt)*, Marc di Napoli *(Philippe, le fils de Paul)*, Maurice Pialat *(le commissaire)*, Guy Marly *(Jacques)*, Lorraine Rainer *(Anna)*, Stéphane di Napoli *(le fils de Charles)*, Jean-Louis Maury, Louise Chevalier.

Charles Thénier n'a qu'une idée : venger la mort de son fils, renversé par une voiture. Grâce à Hélène, il ne tarde pas à retrouver le meurtrier, Paul Decourt, un être immonde détesté par sa famille. A la faveur d'une promenade en mer, Thénier projette de noyer l'assassin. Mais Decourt, qui a eu connaissance du carnet où Charles tient son journal, et a découvert ses intentions, l'en dissuade. La « bête » est malgré tout empoisonnée peu de temps après. Le commissaire croit Thénier coupable, mais Philippe, le fils de Decourt, s'accuse du meurtre. Thénier est libéré. Il écrit à Hélène une lettre dans laquelle il dit être le vrai coupable ; puis va se perdre en mer.

L'odieux « beauf » magnifiquement interprété ici par Jean Yanne (c'est un des grands rôles de sa carrière) figure parmi les personnages les plus révoltants du cinéma français contemporain, mais c'est aussi, d'une certaine façon, un être simple, non dénué de qualités. Déjà, il aime la bonne chère (ce qui devrait au moins lui ouvrir les portes du Purgatoire chabrolien), et sa violence s'exerce surtout sur les bourgeois frileux de son entourage (que Chabrol expédie sans scrupules en Enfer). Il fallait (c'est du grand art) susciter cette ébauche de sympathie pour que la vulgarité et l'égoïsme du personnage nous blessent : on ne hait bien que ce qui nous ressemble. Le génie de ce film (un des meilleurs de l'auteur, avec, peut-être, *les Bonnes Femmes, la Femme infidèle, le Boucher* et *Une affaire de femmes*, et un de ses plus gros succès) est de déjouer, envers et contre tout, la tentation manichéenne.

Ainsi Decourt est-il brutal, gueulard, mais pas calculateur. Tout le contraire de Thénier, dont chaque acte, chaque phrase, sont pesés, et qui, face à l'horrible spontanéité de Decourt, ne s'exprime que par des moyens détournés. Son discours n'est direct que dans l'écriture, ou vraiment clair qu'à propos de littérature. C'est un intellectuel dont toute l'intelligence est désormais au service de la vengeance. Thénier dit écrire des livres ; nous savons qu'il met un soin particulier à rédiger son journal. Son refus de lier amitié avec Decourt est compréhensible ; mais se lierait-il avec quiconque ? Thénier n'est pas un bon vivant, un jouisseur, comme Decourt qui attend beaucoup des autres, en matière de cuisine, de sexe ou d'amitié.

Thénier et Decourt sont vraiment, dans le paysage chabrolien, deux pôles. Il faudrait « un hasard fantastique » pour qu'ils se rencontrent. Et le cinéaste le réalise, ce « hasard », en vertu, peut-être, de l'attirance troublante des contraires. D'ailleurs, Chabrol et Gégauff ont un moment envisagé une amitié entre l'Homme et la Bête, où la soif de vengeance du premier se serait éteinte — ce qui fait penser à des confrontations-séductions antérieures, à d'autres Charles et Paul. Thénier n'est-il pas secrètement jaloux de la façon dont Decourt entre dans la vie comme un bulldozer ? L'intellectuel n'admire-t-il pas, au fond de lui-même, la capacité du « manuel » à passer à l'acte ? Dans l'autre sens, Decourt n'est-il pas flatté de fréquenter un écrivain (même s'il consi-

Après le point de vue du personnage, celui de la caméra.

dère l'écriture comme un « boulot », pas plus) ?

Le monstre paraît ici avoir tout contre lui. Le spectateur a assisté aux circonstances de l'accident, à la fuite de Decourt. Le public a vu l'enfant mourir ; alors que les crimes de Landru restaient dans l'ombre. Paul Decourt n'a donc rien de sympathique. Or (ainsi que cela a été dit) il séduit quand même, attachant par ses maladresses, ses ruses grossières (comme celle d'avoir remis le carnet de Thénier chez le notaire) face à la roublardise supérieure de Thénier. Aucun sens du paraître chez ce chauffard ! Landru était brillant dans un entourage naïf (de femmes). Il conservait donc un statut de bourreau (fût-il charmeur) au milieu de ses victimes. La situation apparaît inversée dans *Que la bête meure* ; car Decourt, dans un sens, est un naïf dans un entourage dangereux ; imperceptiblement, il glisse du statut d'ordure à celui de victime. Peut-on abattre de sang froid une « bête » prise au piège ?

Le Boucher (1969)

Producteur : Films La Boétie (A. Génovès), Euro-International (Rome)

Scénario : Claude Chabrol
Images : Jean Rabier (Eastmancolor)
Son : Guy Chichignoud
Décors : Guy Littaye
Musique : Pierre Jansen, « Capri, petite île » : Dominique Zardi
Montage : Jacques Gaillard
Distributeur : ParaFrance
Durée : 95 minutes.

Interprétation : Jean Yanne *(Popaul)*, Stéphane Audran *(Hélène)*, William Guérault *(Charles, l'écolier)*, Roger Rudel *(le commissaire)*, Antonio Passalia *(le chanteur)*, les habitants du village.

Mademoiselle Hélène, l'institutrice, et Popaul, le boucher, se lient d'amitié, et se voient régulièrement. Entre-temps, une femme est trouvée morte dans un bois. Au hasard d'une promenade avec ses élèves, l'institutrice découvre une autre victime, et, à côté, le briquet qu'elle a offert à Popaul. Pour ne pas éveiller ses soupçons, le boucher rachète le même briquet. Le voyant en sa possession, Hélène est rassurée. Popaul reprend néanmoins le premier briquet que par hasard il retrouve chez l'institutrice. Désormais, Hélène sait. Elle a peur et se barricade. Mais le boucher parvient à lui avouer ses crimes, et son amour pour elle. Puis, il se suicide. Hélène l'emmène à l'hôpital où il meurt.

Le film débute par un mariage, dont rêvent pour eux-mêmes Popaul, et, plus secrètement, Hélène. Le gros plan de la figurine des mariés, dominant la « pièce montée » de la fin du repas, souligne à la fois la force et l'irréalisme de ce désir. Chabrol a d'ailleurs soin de glisser dans la représentation du mariage quelques notes discordantes : un regard méchant, un geste maladroit, un gâteau qui tombe...

Comme dans *la Femme infidèle*, c'est l'impuissance à communiquer qui est le sujet central de ce grand et beau film.

Popaul voudrait exprimer ses sentiments, mais ne livre que des banalités. Hélène se complaît dans un rôle d'auditrice puis de confidente : une façon de ne rien dire sur elle-même. Popaul occupe le terrain du discours, mais offre le spectacle touchant de quelqu'un qui court après le langage sans parvenir à le maîtriser. Alors il tente, avec raison, de mener la partie sur son terrain familier : la boucherie. « Est-ce que vous aimez la viande ? » demande-t-il à l'institutrice, sans pourtant confondre consciemment les désirs de la chair et ceux de la chère. Et il offre à Hélène un superbe gigot, présenté comme un bouquet : le langage des fleurs.

Hélène reste de glace. Le boucher, qui a brûlé toutes ses cartouches, essaie alors d'aborder de front « le » sujet, l'amour. Sans succès. La situation est bloquée : elle reste l'institutrice ; lui, le boucher. Désormais, Popaul attend et regarde, comme dans cette scène où il contemple les formes d'Hélène. Il ne parlera plus, il aimera en silence.

Hélène se veut franche et pédagogue. Ce n'est pas par jeu, pense-t-elle, qu'elle se refuse au boucher : elle a renoncé à toute aventure après un grand chagrin sentimental. Et pourtant, le briquet qu'elle offre à Popaul montre que, malgré son vœu de chasteté, elle ne peut s'empêcher « d'allumer » [1]. Pour Popaul, ce cadeau est une nouvelle blessure : « A chaque fois, dit-il, que j'allumerai une cigarette, je penserai à vous ». De fait, l'objet devient le centre symbolique du film.

Quand Hélène retrouve le briquet aux côtés de la jeune épouse de l'instituteur, elle enferme l'objet dans sa main, puis le met dans sa poche, comme pour lui reprendre son pouvoir. Elle comprend que les crimes proviennent de ce que Popaul a été « allumé ». Au surplus, le choix de la nouvelle victime « parle » par lui-même : la jeune mariée assassinée « représente » l'élément manquant du couple que Popaul aurait voulu fonder avec Hélène. Un morceau de la figurine de la « pièce montée » s'est cassé, le rêve du boucher aussi.

En reprenant le briquet dans le tiroir de l'institutrice, Popaul signifie à Hélène qu'il veut continuer à brûler pour elle. Jusqu'au bout. Tandis qu'Hélène lui apprend la découverte d'une victime supplémentaire, le boucher, briquet en poche, confirme qu'« il n'y a aucune raison que ça s'arrête ».

Lorsque la culpabilité du boucher apparaît clairement au spectateur [2], ce dernier se rend compte qu'il a prématurément soupçonné Popaul d'être l'auteur de tous ces crimes — le motard des *Bonnes Femmes* était victime d'un même a priori. Nous avons rapidement avalisé ce qu'Hélène, pour sa part,

---

1. Cf. « Le cinéma de Chabrol ».
2. Quand Popaul retrouve son briquet chez l'institutrice, il a un regard-caméra (rare chez Chabrol) qui ne trompe pas.

s'est refusée à croire le plus longtemps possible. Or, ce refus était, très longtemps, justifiable. Nous avons été fascinés par la folie destructrice du personnage, et serions même prêts à accepter que « ça ne s'arrête jamais ». Ce dont nous frustre le suicide final. Machiavélique Chabrol !

La Rupture (1970)

Producteur : Films La Boétie, Euro-International (Rome), Cinévog-Films (Bruxelles)
Scénario : Claude Chabrol, d'après *le Jour des Parques*, de Charlotte Armstrong
Images : Jean Rabier (Eastmancolor)
Son : Guy Chichignoud
Décors : Guy Littaye
Musique : Pierre Jansen
Montage : Jacques Gaillard
Distributeur : Gaumont
Durée : 124 minutes.

Interprétation : Stéphane Audran *(Hélène Régnier)*, Jean-Pierre Cassel *(Paul Thomas)*, Michel Bouquet *(Ludovic Régnier)*, Jean-Claude Drouot *(Charles Régnier)*, Marguerite Cassan *(Emilie Régnier)*, Annie Cordy *(madame Pinelli)*, Jean Carmet *(monsieur Pinelli)*, Katia Romanoff *(Elise Pinelli)*, Michel Duchaussoy *(l'avocat de Hélène)*, Catherine Rouvel *(Sonia)*, Mario David *(Gérard Mostelle)*, Margo Lion, Louise Chevalier et Maria Pichi *(les trois Parques)*, Laurent Brunschwick *(Michel, le fils de Hélène)*, Dominique Zardi, Daniel Lecourtois, Serge Bento, Claude Chabrol.

Dans un accès de folie, Charles Régnier assomme son fils, Michel. Hélène, sa mère, le conduit à l'hôpital, et demande le divorce pour avoir la garde de l'enfant. Mais Ludovic Régnier, le père de Charles, s'y oppose. Il confie à Paul Thomas la mission de faire perdre la raison à Hélène, qui vit à la pension Pinelli, tout près de l'hôpital. L'opération menée par Thomas s'enlise : Hélène est imperturbable. Ludovic s'impatiente. Thomas est perdu, et la jeune femme est en train de gagner la partie. Encore convalescent, Charles s'évade de chez ses parents pour retrouver Hélène à la pension Pinelli. Affolé par la démence de Charles, Thomas l'abat d'un coup de revolver.

La scène (de famille) du préambule, c'est un peu la goutte qui fait déborder le vase, et qui donne à Hélène Régnier le

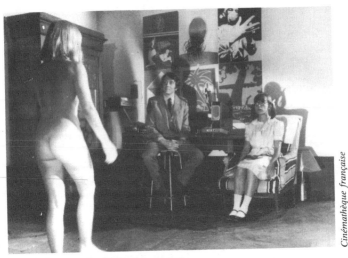

Piégé, Thomas s'enfonce doucement.

courage de passer à l'acte, de s'affranchir de la tutelle de la famille Régnier. Mais cette scène indique aussi, par son extrême violence et la confusion qui y règne, que le film baignera dans la démesure. Rien donc ne sera contenu : d'où l'aspect éclaté du film, son scénario « extrémiste », et son esthétique baroque. *La Rupture* porte bien son titre. Hélène rompt avec une vie qu'elle n'a que trop subie ; le film, avec la sobriété des œuvres précédentes.

Il faut remonter au *Scandale* pour retrouver une telle débauche des images, et un récit écorché, emphatique qui travaille la matière même de l'hystérie. Hélène a remplacé Paul Wagner dans le rôle d'un être en butte à la confusion. Et dans les deux scénarios, l'enjeu est le même : l'argent.

Parce qu'il complote contre elle, Paul Thomas sert de révélateur à cette nouvelle Hélène en « rupture » avec son passé. Le plan envisagé par lui pour briser la jeune femme s'inspire de sa propre faiblesse et consiste à isoler la victime. « Quand on est tout seul, dit-il, c'est là qu'on commence à faire des bêtises ». Mais le courage d'Hélène finit par susciter l'admiration de Thomas qui convient de « la force terrible » de la jeune femme. Il est sincère cette fois : il y a toujours un moment chez Chabrol où même les personnages les plus diaboliques étouffent sous leurs mensonges, et finissent par laisser filtrer des sentiments authentiques.

Hélène reste digne au moment même où, disputant la garde de l'enfant, Ludovic Régnier veut prouver « l'indignité juridique » de la jeune femme. L'homme est de la tribu des Mabuses chabroliens. Après avoir loué les services de Thomas (avec un succès mitigé), il essaie d'acheter Gérard Mostelle, comédien sans travail, résidant à la pension Pinelli. Contre une promesse d'emploi (car Régnier a aussi des intérêts dans le cinéma !), Mostelle serait, comme Thomas, chargé de discréditer Hélène. Mais le comédien refuse, et cet épisode pose les limites du pouvoir de Régnier. La richesse ne donne pas tout : Régnier ne parviendra pas à faire plier Hélène (alors que Kha, dans *Marie-Chantal*, obtenait ce qu'il voulait avec son argent). De Mabuse, l'homme n'a que l'apparence ; et du pouvoir, Régnier n'a que le nom.

Hélène est seule, comme l'était Paul Wagner. D'origine modeste, elle ne possède pas le langage pour se défendre (comme jadis, les « bonnes femmes »). Face à Régnier, personnage complexe, sa simplicité finit néanmoins par emporter l'adhésion. La force d'Hélène ne tient pas à quelques ripostes rusées, mais à une sorte de bouclier moral qu'elle tend à bout de bras, et dont elle se protège.

Est-ce suffisant ? A voir la fin confuse du film, on peut en douter. Qui sait si Régnier n'a pas perdu qu'une bataille ? Certes, il ne paraît pas aussi redoutable que Kha. Mais « l'apparence », chez Chabrol...

Juste avant la nuit (1971)

Producteur : Films La Boétie (A. Génovès), Cinémar (Rome)
Scénario : Claude Chabrol, d'après *The Thin Line*, de Edward Atlyah
Images : Jean Rabier (Eastmancolor)
Son : Guy Chichignoud
Décors : Guy Littaye
Musique : Pierre Jansen
Montage : Jacques Gaillard
Distributeur : Columbia
Durée : 106 minutes.

Interprétation : Michel Bouquet *(Charles Masson)*, Stéphane Audran *(Hélène Masson)*, François Perrier *(François Tellier)*, Dominique Zardi *(Prince)*, Henri Attal *(le commissaire Cavanna)*, Paul Temps *(Bardin)*, Daniel Lecourtois *(Dorfmann)*,

Patrick Gillot *(Auguste Masson)*, Brigitte Perrin *(Joséphine Masson)*, Marina Ninchi *(Gina)*, Clélia Matania *(la mère de Charles)*, Anna Douking *(Laura)*, Roger Dumont *(le commissaire Delfeil)*, Jean-Michel Arnoux, Dominique Marcas, Antonio Passalia, Sylvie Lenoir, Gilbert Servien.

Charles Masson étrangle sa maîtresse Laura, la femme de son meilleur ami, François. Il échappe à l'enquête de la police, mais n'en est pas moins rongé par le remords. Masson n'a cependant pas la force d'avouer son crime. Entre-temps, Gina, chez qui il voyait sa maîtresse, a reconnu le coupable. Elle se confie à François qui lui conseille de ne rien ébruiter. Charles parvient à avouer son crime à sa femme Hélène, ainsi qu'à François. Tous deux lui conseillent de se taire. Mais Masson veut payer, se rendre à la police. Hélène tente de l'en dissuader. En vain. Elle l'aide alors à se donner la mort.

Après *la Femme infidèle*, c'est moins, cette fois, la crise d'un couple que le drame d'un homme. Le film parlant d'« un seul » face à « tous », *Juste avant la nuit* tend à la dramatisation, laquelle tire le récit vers une gravité un peu complaisante : on soupçonne Chabrol de ne plus avoir un regard de moraliste, mais de vouloir faire la morale.

L'état névrotique, chez Chabrol, est toujours l'effet d'une scission de l'être. André se faisait appeler Albin dans *l'Œil du malin* ; Charles Thénier, Marc, dans *Que la bête meure*. Ici, Charles/Bouquet est fondamentalement tiraillé par l'insatisfaction. Il vit de palliatifs, culturels et sentimentaux. Il dit écrire (comme Albin et Thénier), et a insisté auprès de François/Perrier, qui est architecte, pour que celui-ci lui construise une maison d'avant-garde, dans le souci d'éviter l'embourgeoisement. A travers Laura, sa maîtresse, il a recherché l'inconfort sentimental pour mettre du piment dans sa vie conjugale. A son épouse, il confie pourtant : « Elle m'a fasciné un moment mais je ne l'aimais pas ». Alors que de toute évidence, il aime sa femme sans être « fasciné » par elle : Masson a voulu, simplement, expérimenter des sentiments contradictoires.

Arrive Bardin, le comptable, au moment où, à l'image de Masson, le scénario risquait de tourner en rond. Le comptable détourne l'argent de l'entreprise de Masson qui hésite à prendre des mesures : peut-il jeter la pierre à quelqu'un qui lui ressemble ? Et puis les choses se précipitent. Bardin part avec la caisse, disparaît avec une fille, « mais » envoie de l'argent à sa femme ; il s'est enfui « mais » reste dans la région parisienne. « Ils sont effrayés de ce qu'ils font, parce qu'ils n'osent pas aller jusqu'au bout », dit Cavanna, le commissaire qui, justement, enquêtait sur la mort de Laura. De là à penser que Bardin et Masson forment une même personne, c'est un pas que ce dernier franchit aisément. Ecrivain et publiciste, artiste et bourgeois, amant et mari, Masson hésite, comme Bardin, entre la grande cavale et le petit larcin, sa jeune maîtresse et sa femme. D'où la force de son exemple quand au commissariat il osera dire à son employeur « je vous emmerde ». En allant « jusqu'au bout », Bardin a retrouvé une nouvelle dignité, et, paradoxalement, la liberté alors même qu'on lui met les menottes. Masson suivra son exemple lorsqu'à son tour il choisira d'aller jusqu'au bout de son destin.

Hélène a un esprit indépendant. A sa belle-mère qui place l'unité familiale au-dessus de tout, elle offre, au début du film, un sourire poli — une scène presque similaire (la photo) ouvrait la Femme infidèle. Or, la crise du mari s'aggravant, Hélène agit dans l'intérêt de la cohésion familiale. En aidant son époux à se suicider, elle se découvre. Et Chabrol montre le moment de cette « découverte ». La caméra filme l'épouse à travers un miroir avant de la cadrer directement, préparant la dose mortelle pour son mari. Hélène est passée de l'autre côté du miroir. Elle a « traversé les apparences ».

Dans l'épilogue, Hélène apparaît métamorphosée. Elle et sa belle-mère, qui regardent les enfants jouer sur la plage, sont enfoncées dans des transats, sous des couvertures identiques. Les deux femmes se ressemblent étrangement. Et Hélène est méconnaissable. Mais c'est sans doute là son vrai visage, jadis masqué par une apparence moderne. Ce mensonge (inconscient) n'est-il pas responsable, d'ailleurs, de la perte de l'époux ? Le goût de celui-ci pour l'avant-gardisme était, qui sait, un antidote au conservatisme latent de son épouse...

Et là, le jugement, a posteriori, de Chabrol sur son film prend tout son sens : « Il m'a semblé que l'ironie serait plus forte dans la tragédie, alors que le thème était plutôt marrant, l'histoire d'un type qui veut avouer quelque chose, et que personne ne veut écouter » [1]. Reste que cet épilogue est plus cruel qu'ironique. Chabrol n'a pas vraiment réussi à exorciser

---

1. Interview, *Cinématographe* n° 81, septembre 1982.

la gravité de son film ; comme s'il souffrait d'un manque de distance (celle-ci garantissait la totale réussite des œuvres antérieures), ou simplement de lassitude.

La Décade prodigieuse (1971)

Producteur : Films La Boétie (A. Génovès)
Scénario : Paul Gégauff, Eugène Archer, Paul Gardner, d'après le roman de Ellery Queen
Images : Jean Rabier (Eastmancolor)
Son : Guy Chichignoud
Décors : Guy Littaye
Musique : Pierre Jansen
Montage : Jacques Gaillard
Distributeur : Para-France
Durée : 110 minutes.

Interprétation : Orson Welles *(Théo van Horn)*, Anthony Perkins *(Charles van Horn)*, Marlène Jobert *(Hélène van Horn)*, Michel Piccoli *(Paul Régis)*, Guido Alberti *(Ludovic van Horn)*, Giovanni Sciuto, Ermanno Casanova, Vittorio Sanipoli, Tsilla Chelton, Eric Frisdal, Aline Montovani, Fabienne Gangloff, Corinne Koeningswarter.

Charles van Horn contacte Paul Régis, un universitaire qui a été son professeur, pour l'accompagner chez son père Théo van Horn. Régis accepte. Théo est un être impressionnant, tyrannique, qui impose à son entourage ses caprices les plus extravagants. Seul, Ludovic, son frère, lui tient tête. Hélène, l'épouse de Théo, et Charles ont une liaison secrète. Ce dernier est obligé de voler de l'argent à son père pour faire taire un maître-chanteur. Peu à peu, Régis se rend complice du couple illégitime, mais il est découvert par Théo et doit quitter les lieux. Hélène est retrouvée assassinée, et Régis comprend que c'est Théo son meurtrier. C'était lui également, qui faisait chanter son fils.

Le générique de *la Décade prodigieuse* se compose d'inserts jaunis qui se réfèrent directement au cinéma muet, à la fois naissance du septième art et fin d'un cinéma dit « primitif », référence qui trouve sa justification scénaristique dans l'admiration sans bornes de Théo pour les années vingt. L'homme exige en effet des siens une façon de vivre qui s'inspire fidèlement de l'entre-deux-guerres, et donne au récit le statut curieux d'un « film d'époque qui n'en est pas un ». Chabrol conjugue une époque révolue au temps présent, ou, comme de part et d'autre d'une ligne médiane (présente dans la notion même d'entre-deux-guerres) entre « l'apparence » nostalgique des années vingt et la réalité d'aujourd'hui, entre le factice et le tangible où s'articule le symbolisme encombrant du film (plutôt raté, il faut bien en convenir).

Le « dixième jour » se regardant comme un épilogue, *la Décade prodigieuse* se divise en neuf parties. Neuf, le dernier de la série des chiffres, annonce à la fois une fin et un renouvellement, là encore la mort et la vie. Grâce aux neuf premiers jours, Paul Régis découvre la supercherie de Théo. Le brillant universitaire comprend qu'il a été dupé par celui qui se faisait (explicitement) passer pour Dieu. Paul vit ainsi la fin d'une illusion, celle d'être protégé par son savoir : la mort d'une « apparence ». Et le début, peut-être (toute la question soulevée par le film est justement là), d'une ère nouvelle.

Docteur Popaul (1972)

Producteur : Films La Boétie (A. Génovès), Cinémar (Rome)
Scénario : Claude Chabrol, Paul Gégauff, d'après *Meurtre à loisir*, le roman de Hubert Monteilhet
Images : Jean Rabier (Eastmancolor)
Son : Guy Chichignoud
Décors : Guy Littaye
Musique : Pierre Jansen ; chanson de Dominique Zardi et C. Chabrol
Montage : Jacques Gaillard
Distributeur : Les Films La Boétie
Durée : 105 minutes.

Interprétation : Jean-Paul Belmondo *(Paul Simay)*, Mia Farrow *(Christine)*, Laura Antonelli *(Martine)*, Daniel Ivernel *(Berthier)*, Daniel Lecourtois *(le père de Christine)*, Marlène Appelt *(Carole)*, Michel Peyrelon *(Joseph)*, Patrick Préjean, Louis Durenton, Monique Fardoulis, Attal et Zardi.

Popaul ne courtise que les femmes laides. Fidèle à ce principe, il épouse Christine, paraplégique mais riche, qui, de plus, est la fille d'un mandarin de la médecine. Popaul se retrouve directeur de clinique. Mais il reprend ses activités libertines, avec Martine, la sœur de Christine, à qui il fait un enfant. Malheureusement, Popaul perd ses jambes (et sa virilité) dans un accident de voiture. A la vérité, il est continuellement drogué par les soins de Berthier, son adjoint, et de Christine qui, sachant tout des infidélités de son mari, s'est vengée contre lui en simulant l'accident, pour lui faire croire à un handicap irrémédiable et l'acculer au suicide. Fort heureusement, tout s'arrangera pour Popaul qui n'est pas rancunier envers sa famille.

La Décade prodigieuse avait échoué par « excès d'ambition » [1]. Pas étonnant que *Docteur Popaul* marque une sorte de repli stratégique, en l'occurrence derrière la (grosse) farce. Mais la pantomine chez Chabrol sert souvent de masque à la morale. Et le propos est d'autant plus profond que la farce est féroce. Sur ce plan, rien ne manque, de la goujaterie de Popaul/Belmondo à la cruauté de la frêle Christine.

Popaul dit avoir renoncé aux jolies filles. Mais son mépris apparent de la beauté physique est surtout destiné à épater la galerie. Notre Don Juan va jusqu'à organiser un concours de la plus laide conquête... dont il sortira vainqueur. Il s'agit toujours ici du paraître. Popaul est un descendant (de plus) de Paul/Brialy des *Cousins* : un frimeur.

Cinémathèque française

Dieu le père.

---

1. Interview, *Cinématographe* n° 81, septembre 1982.

La faille, c'est Martine, la sœur de Christine. Popaul ne la séduit pas tout de suite ; mais il succombe malgré tout, et du même coup saborde sa « philosophie ». Le voilà libre de jouer à découvert (avec le spectateur) ; d'autant que ses victimes n'ont pas les moyens (en tout cas, dans un premier temps) de dénoncer ses supercheries : l'une (Christine) est intelligente mais infirme, l'autre (Martine) est belle mais idiote.

Alors pourquoi, dans ces conditions, Popaul est-il mis en échec ? Certes, il s'est imprudemment fié à la seule « apparence », de fragilité et de crédulité, de sa femme. Mais il y a surtout la morale du film. Chabrol se moque de la goujaterie et des coucheries de Popaul. En revanche, il manifeste clairement sa désapprobation devant l'incapacité du personnage à rester fidèle à ses idées.

Les Noces rouges (1973)

Producteur : Les Films La Boétie (A. Génovès), Canaria Films (Rome)
Scénario : Claude Chabrol
Images : Jean Rabier (Eastmancolor)
Son : Guy Chichignoud
Décors : Guy Littaye
Musique : Pierre Jansen
Montage : Jacques Gaillard
Distributeur : Les Films La Boétie
Durée : 90 minutes.

Interprétation : Stéphane Audran *(Lucienne)*, Claude Piéplu *(Paul)*, Michel Piccoli *(Pierre)*, Clotilde Joano *(Clotilde)*, Eliana de Santis *(Hélène)*, Daniel Lecourtois *(le préfet)*, François Robert *(Auriol)*, Ermanno Casanova *(le conseiller)*, Pipo Merisi *(Berthier)*, Gilbert Servien, Henri Berger, Philippe Fourré, Maurice Fourré.

Pierre est l'amant de Lucienne, mariée à Paul, un notable très occupé par ses multiples fonctions. Les amants se rencontrent clandestinement, mais Paul est au courant de leur liaison. Entre-temps, Pierre a empoisonné sa femme Clotilde, une grande malade. Quand Paul leur révèle qu'il sait tout de leur adultère, Lucienne et Pierre tuent le mari trompé. Mais Hélène, la fille de Lucienne, les dénonce par une lettre envoyée à la police. Lucienne et Pierre se rendent sans résister.

Chez Lucienne et Pierre, les amants, l'interdit est manifestement vécu avec jubilation. Lors de leur première étreinte, l'un annonce dans une sorte de sourire de contentement que « ça va être horriblement compliqué ». Et l'autre de renchérir : « horriblement ».

Puis les choses s'assombrissent. Pierre, après avoir empoisonné Clotilde, explique à Lucienne que « c'est pour être plus libre ». En fait, la mort de son épouse rend leur liaison plus difficile encore (donc plus jouissive). Désormais, le moindre indice peut accuser Pierre, qui a justifié son geste en expliquant que Clotilde « n'avait aucun goût pour la vie ». L'argument est évidemment spécieux. Lucienne et Pierre s'enfoncent, doucement.

Cette déchéance est symbolisée, « expressionnisée » par la nuit. Après la mort de Clotilde, les amants trahissent une attirance pour l'obscurité. Ils y trouvent des explications fallacieuses : « plus l'hiver va s'approcher, plus les nuits seront longues », dit Pierre, comme pour faire rêver sa maîtresse à de futurs rendez-vous, plus longs encore.

L'inavouable est nocturne, à l'instar du meurtre de Paul/Piéplu, commis dans une nuit interminable. Et là encore, la disparition du mari implique inévitablement un redoublement de méfiance. Au début, les amants jouissaient d'une relative liberté : il leur suffisait de sortir de la ville pour être tranquilles ; puis, la mort de Clotilde exigeait qu'ils se rencontrent la nuit. Désormais, ils se méfient du moindre regard : ils ne se sont jamais autant désirés.

Quand le commissaire, venu chercher les amants criminels, leur demande pourquoi ils ne sont pas partis, « tout simplement », la réflexion relève effectivement du bon sens. Mais Lucienne et Pierre ont l'air de s'en étonner. « Partir ? Ailleurs ? » : leur réaction est hagarde, enfantine. Ils n'y avaient jamais pensé. Ou plutôt, ce n'était pas pensable. Leur idylle n'a eu de sens que confrontée aux multiples dangers. Leur amour n'aura été qu'un moyen d'échapper à l'ennui. Or, dit Chabrol, l'ennui est le pire des crimes car le crime est fruit de l'ennui.

On oublie Hélène. La fille de Lucienne n'aime pas le mensonge et cultive un goût torturant pour la lucidité. Elle méprise le vaudeville qui se joue en sa présence. Au cours d'un repas, Paul ordonne que sa fille se retire afin que lui, Lucienne et Pierre puissent parler entre adultes. Sans le savoir, il a confisqué à Hélène sa fonction de spectatrice, ce qui motive doublement sa soif de connaissance. Dans l'instant qui suit cette punition, elle espère, par une question pressante, obtenir des aveux complets de Lucienne sur son adultère. Cette dernière esquive tant bien que mal. Plus directement encore, Hélène demande à sa mère, après la mort du mari, si elle et Pierre en sont les assassins : Lucienne avoue alors l'adultère. Ainsi à chaque fois, Hélène en sait-elle plus que ce que sa mère veut bien dire. Rien de tel pour attiser sa volonté (ou sa hantise) d'obtenir des aveux.

En écrivant la lettre à la police, Hélène a pour elle le droit moral à la vérité, la certitude de bien agir au nom d'une complicité exemplaire avec sa mère. En fait, cette aspiration à la justice ne tient pas compte de son entourage. Que ce soit Paul ou Lucienne, épaulée de Pierre, qui mène la danse, elle « doit » (se sentant, sans doute, forte d'une mission d'inquisiteur, comme Richard d'*A double tour* ou Thénier de *Que la bête meure*) crever l'abcès de ce vilain vaudeville. Que ne ferait-elle pas pour vivre, enfin, comme « maman », les délices de la tragédie !

Hélène ne pouvait évidemment pas deviner que sa mère, en excellente comédienne, a surtout joué à se faire peur. Cette notion de jeu se retrouve dans le ton du film, qui contredit le contenu morbide. *Les Noces rouges*, c'est avant tout une comédie aigre-douce, parfois acerbe quand le regard chabrolien perce la bourgeoisie provinciale, admirablement « jouée » par des acteurs au meilleur de leur forme (Audran, Piccoli, Piéplu). Leur travail à eux était d'autant plus périlleux qu'il s'agissait, en définitive, d'incarner d'autres « comédiens ».

Nada (1974)

Producteur : Les Films La Boétie (A. Génovès), Italian International Films (Rome)
Scénario : Jean-Patrick Manchette, Claude Chabrol, d'après le roman de J.P. Manchette
Images : Jean Rabier (Eastmancolor)
Son : Guy Chichignoud
Décors : Guy Littaye
Musique : Pierre Jansen
Montage : Jacques Gaillard
Distributeur : Les Films La Boétie
Durée : 100 minutes.

Interprétation : Maurice Garrel *(Tomas)*, Michel Duchaussoy *(Treuffais)*, Fabio Testi *(Diaz)*, Mariangela Mélato *(Cash)*, Lou Castel *(D'Arey)*, Didier Kaminka *(Meyer)*, Katia Romanoff *(Anna Meyer)*, Michel Aumont *(Goemond)*, André Falcon *(le ministre)*, François Perrot *(le chef de cabinet)*, Lyle Joyce *(l'ambassadeur)*, Francis Lax *(Edouard Longuevache)*, Viviane Romance *(madame Gabrielle)*, Rudy Lenoir *(M. Bouillon)*, Jacques Préboist, Henri Poirier, Bruno Masure, Attal et Zardi.

Tomas, ancien du FLN, Diaz, militant révolutionnaire, D'Arey, névrotique, Treuffais, professeur de philosophie, et Meyer, excédé par la dépression nerveuse de sa compagne, forment le groupe Nada, qui projette d'enlever l'ambassadeur des Etats-Unis en France. Lors du kidnapping, les ravisseurs ont été filmés. La police retrouve vite leurs traces. Goemond, chargé de l'enquête, utilise la manière forte. Tous sont abattus sauf Diaz, et Treuffais qui a rompu avec le groupe avant l'action. Alerté par une opinion publique défavorable, le ministre se désolidarise du commissaire, transformé en bouc émissaire pour la circonstance.

Cinémathèque française

Nada signifie « rien ».

Sur le sujet du terrorisme, il ne fallait pas attendre de Chabrol un film à thèse. Les idées en présence sont renvoyées dos à dos : « le terrorisme gauchiste et le terrorisme étatique sont les deux mâchoires d'un même piège à cons », écrit Treuffais, le professeur-idéologue, pour justifier sa démission. La phrase s'approche d'une pensée chabrolienne qui se méfie des idéologies comme de la peste. Les attentats terroristes légitiment les répressions de l'appareil étatique. On tourne en rond : comme le film, où tout est dit dès le premier quart d'heure.

Les policiers idiots se prennent pour des cow-boys. Plus haut dans la hiérarchie trônent les cyniques et les mégalomanes. En face, l'arrogance cède le pas au lamentable. D'Arey soigne sa névrose dans l'alcool, Treuffais dans la théorie, le barman dans l'action. Quant à Tomas, revenu de tout, il ne croit en rien. Les deux partis s'annulent dans la même bêtise. « Nada », ne l'oublions pas, signifie « rien ».

Comme *les Godelureaux* fustigeait le public qui n'avait pas compris *les Bonnes Femmes* en le provoquant, *Nada* en rajoute dans la violence que le spectateur demande. Ce film n'est qu'un règlement de comptes (il s'attaque aussi aux films « politiques » que Chabrol vomit plus que tout), dépourvu du moindre élan créatif... Et l'auteur, résolument, s'y autodétruit.

Une partie de plaisir (1975)

Producteur : Les films La Boétie (A. Génovès), Gerico Sound (Rome)
Scénario : Paul Gégauff
Images : Jean Rabier (Eastmancolor)
Son : Guy Chichignoud
Décors : Guy Littaye
Musique : Brahms, Schubert, Beethoven
Montage : Jacques Gaillard
Distributeur : Les films La Boétie
Durée : 100 minutes.

Interprétation : Paul Gégauff *(Philippe)*, Danièle Gégauff *(Esther)*, Clémence Gégauff *(Elise)*, Michel Valette *(Katkof)*, Gian Carlo Sisti *(Habib)*, Paula Moore *(Sylvia)*, Cécile Vassort *(Annie)*, Mario Santini *(Rosco)*, Pierre Santini *(Michel)*, Aurora Maris *(Louise)*, René Piget, Alain David, Jean Cherlian, Tony Lippizi, Isabel Del Rio, Henri Attal.

Esther et Philippe ont une petite fille, Elise ; ils sont heureux. Mais Philippe redoute la monotonie du mariage et il engage Esther à avoir des aventures. Elle accepte, bon gré mal gré, et a une liaison avec Habib. De son côté, Philippe fréquente Isabelle. Mais un déséquilibre se crée. Si Esther s'accommode des infidélités de son mari, ce n'est pas réciproque. Elle s'éloigne, lentement, et finit par quitter Philippe, qui se marie avec Sylvia, par dépit. Il reste, en fait, inconsolable : lors d'une de leurs rares rencontres, Philippe tue Esther.

Une partie de plaisir, taillé sur mesure pour la famille Gégauff, n'en est pas moins un film de Chabrol.

Esther, dans sa fidélité à Philippe, semble manifester une grande stabilité affective. Lui, incarne plutôt le désordre amoureux. Tout porte à croire qu'elle paiera cher l'expérience libertine que propose son mari (qu'on soupçonne un moment de vouloir cautionner une séparation à venir). Et puis, celui qu'on croyait fort est anéanti par l'épreuve, et Esther fait montre d'une liberté qu'on ne pressentait pas chez elle.

Pourtant, quand, au début du film, lors d'une pêche dans les rochers, Esther répète à son mari sur un ton étrange « oui, on reviendra », elle donne le sentiment de déjà savoir que justement ils ne reviendront pas, que leur séparation est inéluctable. Ne joue-t-elle pas le rôle de la femme inquiétée par les propositions libérales de son mari pour mieux le prendre au piège ? L'apparence, peut-être, a plusieurs couches !

Philippe a voulu construire Esther à son image. C'est un adepte du solipsisme, « la théorie dans laquelle il n'y aurait pour le sujet pensant d'autres réalités que lui-même »[1]. Après avoir échafaudé un univers qui lui ressemble, il ne veut (peut) plus en changer. D'où son goût pour les figures de cire du musée Grévin, figures moulées, puis immuables, qui gratifient sa névrose.

Mais la cire fige l'apparence, et c'est la faiblesse de Philippe de croire à la surface des êtres. Esther est autrement forte ; peut-être parce que, comme le dit Chabrol, le sexe dit faible, dénué d'idéal masculin, ne s'idéalise pas : il ne connaît pas « *cette gênante agressivité du moi qui est solipsiste* »[2].

---

1. *Le Petit Robert*. Le concept de Schopenhauer est déjà évoqué par Treuffais, dans *Nada*.
2. Interview, *Image et Son* n° 279, décembre 1973.

Les Innocents aux mains sales (1975)

Producteur : Films La Boétie (A. Génovès), Terra Filmkunst GmbH (Berlin), Jupiter Generale Cinematografica (Rome)
Scénario : Claude Chabrol, d'après *The Damned Innocents* de Richard Neely
Images : Jean Rabier (Eastmancolor)
Son : Guy Chichignoud
Décors : Guy Littaye
Musique : Pierre Jansen
Montage : Jacques Gaillard
Distributeur : Les Films La Boétie
Durée : 120 minutes.

Interprétation : Romy Schneider *(Julie Wormser)*, Rod Steiger *(Louis Wormser)*, François Maistre *(Lamy)*, Pierre Santini *(Villon)*, Jean Rochefort *(Maître Légal)*, François Perrot *(Georges Torrent)*, Paolo Giusti *(Jeff Marle)*, Hans-Christian Blech, René Piget, Jean Charlian, Georges Blain, Attal et Zardi, Serge Bento.

Julie est mariée à Louis Wormser, plus âgé qu'elle. Ils forment un couple désabusé. Julie devient la maîtresse de Jeff, leur voisin, un écrivain raté. Afin de se débarrasser du mari devenu gênant, ils simulent un accident en mer. Julie apprend à la banque que son mari a retiré tout son argent. De plus, Jeff ne donne plus signe de vie. Les commissaires, Villon et Lamy, arrêtent Julie, mais, faute de preuve, elle est libérée. Et puis, coup de théâtre, Luis revient. La nuit du « meurtre », ce n'est pas lui que Julie a frappé, mais Jeff. Deuxième surprise : l'écrivain revient aussi. Au dernier moment, Luis a eu pitié de lui et ne l'a pas tué. Finalement, Luis succombe à une crise cardiaque ; et Jeff est arrêté. Julie est seule.

Dès le générique, *les Innocents aux mains sales* désigne son inconsistance. La caméra s'approche très fortement du corps de Julie jusqu'à ne plus obtenir qu'un brouillard de sa peau, une sorte de néant rosâtre. S'inscrit alors le titre du film. Traduisons : sous sa « peau », le film ne cache aucune profondeur. Cette première scène annonce d'ailleurs le récit à d'autres titres : comme un oiseau de proie, un cerf-volant, voguant au-dessus du corps nu de Julie pour se poser sur les formes de la jeune femme, symbolise les prédateurs masculins qui vont tourner autour de l'héroïne.

Une telle clarté a ses inconvénients : elle prive le rôle incarné par Romy Schneider d'une aura de mystère souvent entretenue dans les films antérieurs ; l'épouse, volage, ne s'appelle pas Hélène ; et on le regrette !

Jeff divulgue aussi tout de lui en quelques mots : « j'écris des conneries, j'écris à la machine parce que je ne peux pas me relire, je n'ai pas de talent, je suis fainéant, je n'aime pas la compagnie ». Lucidité, solitude, échec, manque de courage, apitoiement (complaisant) sur soi, sont déclarés d'emblée.

Par ailleurs, la direction des acteurs est trop primaire et n'arrive pas à élever au second degré le jeu « tragique » de Rod Steiger. Seuls, les commissaires (Maistre et Santini), en Dupont et Dupond, nous offrent quelques moments croustillants.

Si le « film noir » est démonté ici, c'est plutôt par simple maladresse.

Les Magiciens (1976)

Producteur : Carthago Films (Tarak Ben Ammar), Mondial Tefi (Rome), Maran Films (Munich)
Scénario : Paul Gégauff, Pierre Lesou, d'après *Initiation au meurtre*, de Frédéric Dard
Images : Jean Rabier (Eastmancolor)
Décors : André Labussière
Montage : Monique Fardoulis, Luce Grünenwald
Distributeur : Prodis
Durée : 90 minutes.

Interprétation : Jean Rochefort *(Edouard)*, Gert Fröbe *(Vestar)*, Franco Nero *(Sadry)*, Stefania Sandrelli *(Sylvia)*, Gila von Weitershausen *(Martine)*.

Oisif, Edouard est enchanté par sa rencontre avec un vieil homme, Vestar, qui se dit voyant et lui prédit l'aggravation de la crise que traverse un couple : Sylvia et Sadry. Edouard s'emploie alors à « réaliser » cette prédiction. Grâce à son jeu, Sylvia surprend Sadry avec une autre femme. Le mari est sur le point de tuer son épouse. Puis, il retourne sa haine contre le « magicien », auteur de la prédiction. Le vieil homme n'y est pourtant pour rien. Quant à Edouard, il regarde ce spectacle avec indifférence.

Les Magiciens s'ouvre sur une mer tranquille, à bord d'un bateau. Là, se rencontrent par hasard Edouard et Vestar, personnages sortis du néant, comme vierges de toute fiction. Vestar, le magicien allemand, est la figure symbolique de

Mabuse (après beaucoup d'autres films de Chabrol). Mais fatigué et alcoolique, il est comme l'image d'un cinéma à bout de souffle, incapable de développer un sujet. Conscient de l'incapacité de Vestar, Edouard, initialement spectateur, prend les choses en main. C'est lui qui « met en scène » les prédictions de Vestar, lesquelles reviennent à un scénario.

Ce « metteur en scène » est toutefois un imposteur qui accumule les « trucs » sans s'impliquer dans sa mise en scène (comme un auteur doit le faire). Edouard n'a que « l'apparence » d'un metteur en scène, c'est un spécialiste du faux-semblant. On voit que Chabrol réfléchit à nouveau, dans cette œuvre auto-référentielle, aux questions douloureuses qu'il se pose sur sa création ; au point de donner au film un caractère assez cérébral, d'autant plus que les personnages ne sont pas traités aussi chaleureusement que d'habitude.

Les Magiciens déploie l'envers de la fiction, ne serait-ce que par la manière dont est abordé le sujet : la magie. Vestar, le « magicien », prédit vaguement ce qui aura lieu dans le film. Il regarde Sylvia, annonce à Edouard que quelqu'un veut la mort de la jeune femme. Et en contrechamp, nous

Vestar est un Mabuse bien mal en point. Le cinéma aussi.

avons immédiatement la solution de cette « énigme » avec, en plan rapproché, le visage de Sadry. Le filmage enlève à la magie son mystère, et en retour il nous est difficile de croire au cinéma des *Magiciens*. Vestar, à la fois symbole du cinéma et de la magie, est bien mal au point. La conclusion est terrible. Et pourtant...

Vestar regarde le ciel, entend un bruit assourdissant. Le plan suivant, l'avion atterrit avec le couple à bord. Le miracle de la fiction se réalise en deux images. Plus tard, Sylvia brise involontairement une statuette que, contre le conseil d'Edouard, elle s'était refusée à casser : au-delà du diktat de notre « metteur en scène », cette statuette « devait » se briser. Enfin, Edouard reconnaîtra les « points rouges », symboles de violences à redouter, que « voyait » Vestar, dans des ballons d'enfants qui s'envolent dans le ciel. Tous ces faits « prouvent » l'existence d'une force magique. Et le cinéma, en de courts instants, y retrouve son compte.

Folies bourgeoises (1976)

Producteur : Barnabé Productions (Paris), Gloria Films (Rome), CCC Filmkunst (Berlin)
Scénario : Claude Chabrol, Norman Enfield, Ennio de Concini, Maria-Pia Fusco, d'après *Le Malheur fou* de Lucie Faure
Images : Jean Rabier (Eastmancolor)
Son : Guy Chichignoud
Décors : Maurice Sergent
Musique : Manuel de Sica
Montage : Monique Fardoulis
Distributeur : FFCM
Durée : 105 minutes.

Interprétation : Stéphane Audran *(Claire de la Tour Piquet)*, Bruce Dern *(William)*, Jean-Pierre Cassel *(l'éditeur)*, Sydne Rome *(Nathalie)*, Ann Margret *(la traductrice)*, Maria Schell *(Gretel)*, Charles Aznavour *(Dr Lartigue)*, Curd Jürgens *(le bijoutier)*, Francis Perrin *(Robert)*, Tomas Milan *(le détective)*, Isabelle Mercanton, Jean Cherlian, Jean Lanier, Jacques Chevalier, Gilbert Servien, Jean-Claude Arnaud, Attal et Zardi.

Claire est mariée à un écrivain américain, William, plutôt volage. Claire le lui rend bien, et le trompe avec Jacques, son éditeur ; mais l'infidélité de William, en fait, lui est insupportable. Alors, Claire s'installe avec son mari à la campagne. L'époux s'enfuit. Téléphonant à sa femme, il comprend, à tort ou à raison, que Claire a un amant. Il s'en bouleverse. Mais est-ce la réalité ?

Claire porte mal son nom, dans un film qui lui aussi est la confusion même. *Les Magiciens* s'interrogeait sur la mort de l'auteur, partant de la fiction. *Folies bourgeoises* en est une cruelle application.

Chabrol joue symboliquement un auteur timide qui essaie de placer un manuscrit chez un éditeur. La caméra le repousse vite hors champ. Sans commentaire.

Alice ou la dernière fugue (1977)

Producteur : Filmel-PHPG (Eugène Lépicier, Patrick Hildebrand, Pierre Gauchet)
Scénario : Claude Chabrol
Images : Jean Rabier (Eastmancolor)
Son : Alain Sempé
Décors : Maurice Sergent
Musique : Pierre Jansen, Mozart
Montage : Monique Fardoulis
Distributeur : UGC-CFDC
Durée : 93 minutes

Interprétation : Sylvia Kristel *(Alice)*, Charles Vanel *(Vergennes)*, André Dussolier *(le jeune homme en blanc, le pompiste)*, Jean Carmet *(Colas)*, Fernand Ledoux *(le défunt)*, Thomas Chabrol *(l'enfant aux oiseaux)*, François Perrot *(l'homme du château)*, Catherine Druzy *(l'infirmière)*, Bernard Rousselet *(le mari)*, Jean Cherlian *(Emile)*, Noël Simsolo, Jean Laboulbar, Cécile Maistre, Louise Rioton.

Après avoir annoncé son départ à son mari, Alice se retrouve en pleine nuit sur une route pluvieuse où elle a un accident. Vergennes lui offre l'hospitalité dans son château mystérieux. Le lendemain, Alice n'arrive pas à sortir de la propriété. Tous les côtés du château donnent sur la même clairière... Vergennes consent à lui donner quelques explications...

Loin de ces films où le goût (masochiste) du « rien » se substituait à « la traversée des apparences », *Alice ou la dernière fugue* donne au contraire une profondeur aux détails les plus (faussement) anodins.

Ce film favorise le voisinage des contraires, a priori incompatibles. Le maître de château, Vergennes, vante l'omelette de son valet Colas, cuisinée à l'ancienne ; c'est-à-dire les blancs séparés des jaunes. Les contraires ne se mélangent pas, ne s'annulent pas ; mais, tout en gardant leur spécificité, forment un tout, une entité plus large que la somme de leurs parties.

D'une manière générale, les choses auront une signification double. Chabrol avoue s'être inspiré de Raymond Roussel, chez qui chaque mot revêt deux sens, l'un « littéral », l'autre « transcendé » [1]. Pour Alice, la forêt devient un concept ambivalent. Les arbres sont le symbole de la vie ; mais on peut également se perdre dans la forêt, laquelle est alors un huis-clos morbide.

Ainsi, nous sommes dans un univers qui n'est pas la vie. Mais rien ne dit qu'il s'agit de la mort. Nous devons par conséquent admettre un cadre régi par une logique différente.

En amorce du récit, Alice quitte son ami, personnage foncièrement négatif. Or, cette séparation est visualisée par leurs profils coupés d'une zone noire au centre de l'écran. Optant pour un filmage neutre de leurs deux situations, la caméra met celles-ci sur un pied d'égalité. Les valeurs (du bien et du mal) sont présentes « mais on ne sait pas où ».

De même, quand Alice longe un mur pour revenir à son point de départ, et tourne en rond, au propre comme au figuré, elle, comme nous, nous demandons de quel côté nous sommes. Alice grimpe jusqu'au sommet de ce mur pour voir au-delà. On pense le découvrir, cet autre côté, au bout d'un plan subjectif du regard d'Alice, jusqu'au moment où un léger mouvement vertical nous fait découvrir son visage. Ce mur ne sépare rien : l'autre côté, c'est celui où nous sommes. Dehors est dedans, dans une totale confusion des sens. Le désordre des valeurs est alors entier [2].

Quelles sont les explications de Vergennes à Alice ? « Nous ne sommes, dit-il, que des représentations, qui vous sont destinées ; nous ne sommes que des apparences, que l'on peut modifier ; mais nous avons aussi notre réalité, transformable » : durant tout ce film, Alice a dû lutter contre des « projections » d'êtres et de choses, contre un univers immatériel qui ne s'accordait pas à ses désirs. On emprunte volontairement, par la négative, la fin de la célèbre phrase d'André

---

1. Interview, *le Quotidien de Paris*, 18-1-1977.
2. Ces exemples attestent de la précision de la mise en scène, de l'inventivité constante de ce film.

Alice ou la dernière fugue.

Bazin. Si le cinéma a pour idéal d'offrir au spectateur un monde de rêve, Chabrol ici soumet Alice à « l'envers » traumatisant de cet univers onirique. Non seulement, le film relate qu'Alice a sauté dans un inconnu, la mort ou autre chose, lui révélant une réalité ignorée d'elle ; mais surtout, c'est le fantastique, par définition la négation du réel, qui sert d'outil à la découverte de cette réalité intérieure.

Le récit est pratiquement clos par l'accident d'Alice et sa redécouverte. *Alice ou la dernière fugue* serait (on insistera sur le conditionnel) juste la dilatation de l'instant qui sépare la vie et la mort, le développement de notre passage, de notre « traversée » vers l'au-delà. Grâce au fantastique, Chabrol a fixé ce « point » (évoqué par Vergennes), par lequel l'être passe, certes de la vie à la mort, mais aussi de l'ignorance à la lucidité, de l'inconscience à la conscience, de l'indifférence à l'amour.

Malgré leur référence, explicite et constante, à la « traversée des apparences », les films de Chabrol ne s'étaient jamais vraiment arrêtés sur le « passage » lui-même. Ici, le cinéaste a voulu justement saisir le moment « où ça bascule ».

De même qu'il respecte le polar ou le film d'espionnage, Chabrol se soumet, ici, aux lois du fantastique, qui font beaucoup plus appel à la surprise. Effectivement, Alice va de découverte en découverte ; et le spectateur aussi ; sans jamais déstabiliser le *fond* du propos chabrolien. Au contraire, le genre fantastique convient si bien à l'esprit de Chabrol qu'on se demande pourquoi il ne fait pas appel à lui plus souvent.

Les Liens du sang (1978)
Blood Relatives

Producteur : Filmel (Eugène Lépicier, Denis Héroux, Julian Melzack), Cinevideo, Classic Film (Montréal)
Scénario : Claude Chabrol, Sydney Banks, d'après le roman de Edouard MacBrain
Images : Jean Rabier (Eastmancolor)
Son : Patrick Rousseau
Décors : Anne Pritchard
Musique : Pierre Jansen, Howard Blake
Montage : Yves Langlois
Distributeur : SNC
Durée : 100 minutes.

Interprétation : Donald Sutherland *(inspecteur Carella)*, Stéphane Audran *(madame Lowery)*, Aude Landry *(Patricia)*, Lise Langlois *(Muriel)*, Laurent Malet *(Andrew)*, David Hemmings *(Armstrong)*, Micheline Lanctot *(madame Carella)*, Ian Ireland *(Klinger)*, Donald Pleasence *(Doniac)*, Gregory Jianis *(Louis Sully)*, Julie Anna *(madame Hanley)*, Tommy Tucker *(Jean Hanley)*, John King *(Paul Gaddis)*, Marguerite Lemir *(Helen)*, Tim Henry *(capitaine Marriot)*, Jan Chamberlain *(la grand-mère)*.

Une adolescente, Patricia, déboule en pleine nuit dans un commissariat. On a poignardé sa cousine, Muriel. L'inspecteur Carella est chargé de l'enquête. Mais les recherches ne donnent rien. Revenue sur ses premières déclarations, Patricia accuse son frère Andrew. Carella retrouve le journal qu'écrivait Muriel. Elle avait une liaison avec Andrew (qui d'ailleurs s'est peu à peu détériorée). Jalouse, Patricia a tué sa cousine Muriel. En larmes, l'adolescente avoue son geste meurtrier au policier.

Le point culminant des *Liens du sang* (film par ailleurs mineur) est sans doute la séquence, magnifique, de la comparution des suspects alignés derrière une baie vitrée. Les silhouettes de Patricia et de Carella se reflètent dans la glace, aux côtés des hommes. L'adolescente doit reconnaître un soi-disant coupable qu'elle désigne en comptant à partir de la gauche. « Le deuxième » dit Patricia. Et c'est... le visage du commissaire, précisément son reflet sur la glace, entouré par les vrais premier et deuxième suspects. Ce plan désigne cinématographiquement le sujet réel du film : le procès des « pères ».

Carella est le père d'une fille qu'il délaisse au profit de son enquête. Patricia, qui a l'âge de sa fille, lui importe plus, parfois jusqu'à l'ambiguïté. Plus tard, il se passionnera pour le journal de Muriel, toujours au détriment de sa famille. Face à la description des premiers sentiments amoureux de l'adolescente, Carella réagit comme un père (qu'il n'est pas pour sa propre fille). Sa femme ne semble d'ailleurs pas plus l'intéresser. Grâce à elle (mais par accident), il a retrouvé le journal de Muriel. Le mari s'exclame : « Miracle, la preuve que tu es géniale ». On ne saura jamais si le « miracle » concerne le livre retrouvé contre toute attente, ou bien une preuve d'intelligence inattendue de la part de son épouse.

Jack, le directeur de la banque où travaillait Muriel, avoue traverser une crise profonde avec sa femme. Il courtise l'adolescente, sous couvert hypocrite de sentiments « paternels ». Monsieur Lowery, le père de Patricia, voudrait présenter une image plus noble de la paternité. Il prend à cœur sa responsabilité familiale. Beaucoup trop, même. Ses deux enfants, Patricia et Andrew, et sa nièce, Muriel, sont écrasés par sa possessivité. Il pense avoir agi en « bon chrétien » (d'où une certaine ironie de la part de Chabrol), et le drame qui secoue sa famille lui est incompréhensible.

Dans *les Liens du sang*, les pères assument leur fonction par excès ou par défaut. La juste mesure est introuvable.

Violette Nozière (1978)

Producteur : Filmel (Eugène Lépicier), FR3, Cinévidéo (Montréal)
Scénario : Odile Barski, Hervé Bromberger, Frédéric Grendel, Claude Chabrol, d'après le livre de Jean-Marie Fitère
Images : Jean Rabier (Eastmancolor)
Son : Patrick Rousseau
Décors : Jacques Brizzio
Musique : Pierre Jansen
Montage : Yves Langlois
Distributeur : Gaumont
Durée : 124 minutes.

Interprétation : Isabelle Huppert *(Violette)*, Stéphane Audran *(Germaine)*, Jean Carmet *(Baptiste)*, Jean-François Garreaud *(Jean Dabin)*, Lisa Langlois *(Maddy)*, Bernadette Lafont *(la codétenue)*, Dora Doll *(madame Mayeul)*, François Maistre *(Monsieur Mayeul)*, Jacqueline Alexandre *(une ménagère)*, Bernard Lajarrige, Jean Parédès, Odile Barski, Benoît Ferreux, Henri-Jacques Huet, Fabrice Lucchini, Serge Berry, Serge Bento, Albert Augier, Mario David, Francine Cornu, Pierre Coffe, Zoé Chauveau, Micheline Bourday, Rudy Lenoir, Sylvie Moreau.

Aux yeux de ses parents, Germaine et Baptiste Nozière, Violette est une jeune fille sage. En fait, elle s'évade le soir, et dort le jour dans un hôtel. Violette entretient Paul, un gigolo. Méprisant ses parents, elle les, empoisonne. Baptiste succombe, mais Germaine échappe à la mort. Le procès de Violette fait sensation. Elle est condamnée puis graciée...

Comme Patricia dans *les Liens du sang*, Violette nourrit un profond mépris pour son entourage, et aspire à une hauteur d'âme qu'elle ne perçoit pas, à tort ou à raison, autour d'elle. Patricia devait maudire le cadre parental, étriqué, « chrétien », où on l'obligeait à vivre, de même qu'elle soupçonnait sa cousine de mener une existence plus exaltante que la sienne. Violette, elle, ne supporte pas l'étroitesse petite-bourgeoise de Germaine et de Baptiste, symbolisée par leur minuscule appartement où chacun est condamné à la promiscuité. Elle se persuade que le monde extérieur (au-delà de l'appartement) regorge de richesses insoupçonnées.

Enfant, Violette est certaine que ses parents sont détenteurs d'un secret qu'ils ne veulent pas divulguer. « Ils sont toujours pleins de secrets, se plaint-elle à sa grand-mère, je suis sûre qu'ils en ont un plus gros que les autres. » Patricia *(les Liens du sang)*, convaincue que Muriel lui cachait quelque chose, cherchait à connaître ce mystère qui, se dérobant sans cesse, s'interposait de plus en plus cruellement entre elles (ce même processus, dans *les Noces rouges*, tiraillait Hélène, la fille de Lucienne qui rechignait à lui dire la vérité). Ce secret, la relation entre sa cousine et son frère Andrew, entraînait une cassure définitive. « Le plus gros » secret, celui que Baptiste n'est pas son père, est la source du déséquilibre de Violette. On se demande si, pour Chabrol, Violette n'aurait pas « traversé les apparences » trop tôt, si ce secret n'a pas été défloré prématurément.

Car, désormais, Violette se réfugie dans le rêve, et fuit ses parents qu'elle considère comme « des nains ». La schizophrénie est alors inévitable. Violette se vante auprès de la femme de chambre (qui, autre sujet guetté par la folie, l'admire en secret) de faire des études de médecine après lui avoir déclaré qu'elle suivait des cours d'histoire, l'un et l'autre étant faux. Chez Chabrol, le « fou » (on l'a déjà vu dans d'autres films, mais ici c'est encore plus frappant) se sert du rêve, du mensonge, pour mieux fuir sa réalité, ou plus prosaïquement, confondre son entourage.

Violette, par son parricide, pense pouvoir « tout recommencer à zéro ». Et Chabrol montre quelle orientation elle donne à sa vie future. Peu de temps après son crime, une vieille dame demande de l'aide à Violette, qui alors est prise de panique. Plus tard, sa codétenue (Bernadette Lafont, superbe) reproche à Violette de ne pas lui avoir donné sa pitance (qu'elle a renvoyée). La fois suivante, se passant encore de manger, elle lui offre son repas. Enfin, Violette lave les pieds de sa codétenue. Cette troisième scène confirme le processus chrétien dans lequel est entrée la jeune femme.

Devions-nous nous livrer à de telles explications, qui d'ail-

Violette à l'affût d'une existence plus exaltante.

leurs ne sauraient suffire à rendre compte de la personnalité de Violette ? Fallait-il recoller (pour comprendre) les morceaux de la boule de cristal, l'esprit éparpillé du personnage, auquel Chabrol a, semble-t-il, voulu rester fidèle ? Oui, car en somme ces explications demeurent chabroliennes ; même si, immanquablement, elles mettent à plat le climat fantastique du film. *Violette Nozière* joue la carte de l'éclatement, reflet de la schizophrénie du personnage. L'ordre des séquences se moque, justement, d'une chronologie explicative, et fait de ce film l'une des œuvres les plus secrètes de Chabrol (il faudrait aussi parler de ses choix esthétiques, précisément de cette lumière sombre et contrastée qui trouble plus encore un récit déjà onirique).

Mais le grand mystère de *Violette Nozière*, c'est encore celui de son héroïne, un « secret » entretenu par Isabelle Huppert qui donne ici (déjà) la mesure de son immense talent [1]. A sa codétenue, l'héroïne dit savoir, contre toute attente, qu'elle ne sera pas guillotinée. D'où ce sentiment, de la part du spectateur, que Violette connaît son avenir (Esther, dans *Une partie de plaisir*, semblait tout connaître de ses relations futures avec son mari), un avenir que d'ailleurs sa mère, bien avant son parricide, désire « grand ». Comme plus tard *Une affaire de femmes, Violette Nozière* use de prémonitions troublantes [2]. Ainsi, avec cette manière étrange de répéter « d'accord, à six heures », pour son rendez-vous avec le type du square, Violette donne-t-elle l'impression de connaître le projet de ce dernier de la livrer à la police.

Violette Nozière conservera, envers et contre tout, une aura mystérieuse, dont aucune « apparence » d'explication, chabrolienne ou non, ne peut vraiment rendre compte.

Le Cheval d'orgueil (1980)

Producteur : Georges de Beauregard, TF1
Scénario : Daniel Boulanger, Claude Chabrol, d'après le livre de Pierre-Jakez Héliaz
Images : Jean Rabier (Eastmancolor)
Son : René Levert

---

1. Sans oublier les remarquables prestations de Stéphane Audran et de Jean Carmet.
2. Ces prémonitions sont relevées par Jean Narboni (*Cahiers du cinéma* n° 290-291). Quant au parallèle avec *Une affaire de femmes*, on se référera au chapitre « En guise de conclusion », page 176.

Décors : Hilton McConnico
Costumes : Magali Fustier-Dray
Musique : Pierre Jansen
Montage : Monique Fardoulis
Durée : 120 minutes.

Interprétation : Jacques Dufilho *(le grand-père)*, Ronan Hubert *(Pierre-Jakez avant 10 ans)*, Arnel Hubert *(P.-J. après 10 ans)*, François Cluzet *(Pierre-Alain)*, Bernadette Le Saché *(Anne-Marie)*, Paul Le Person *(le facteur)*, Michel Blanc *(Corentin Calvez)*, Pierre le Rumeur *(Guillaume)*, Dominique Lavanant *(la sage-femme)*, Michel Robin *(le marquis)*, Bernard Dumaine *(le député)*, Pierre Dumeniaud *(le cousin Jean)*, Jacques Chailleux *(Jeannot les mille métiers)*.

Pierre-Jakez Héliaz raconte son enfance au pays bigouden du début du siècle. Son père, Pierre-Alain, a épousé Anne-Marie Le Goff, et ils vivent chichement. On leur raconte des histoires, le soir à la veillée. Et puis c'est la guerre : le père de Pierre-Jakez est mobilisé. Anne-Marie travaille doublement. A l'école, l'instituteur impose le français. L'armistice est signé, Pierre-Alain est de retour. La vie peut reprendre son cours normal.

P.-J. Héliaz parlant de sa jeunesse, le film tentera d'avoir des yeux d'enfant sur le monde. Le réalisme cédera le pas au merveilleux, selon le regard déformant du jeune Pierre-Jakez. « L'enfant ne voit qu'une maison pleine de dieux et de silence », dit le narrateur. Mais dehors ?

Dehors, c'est la misère, « la chienne du monde ». Ici, nous quittons, semble-t-il, le regard de l'enfant (qui, comme beaucoup de personnages chabroliens, ne voit pas l'horreur ou se refuse à la voir) pour celui, plus lucide, du romancier adulte. Mais, là où on pourrait s'attendre à une peinture réaliste, Chabrol au contraire n'abandonne le merveilleux que pour le fantastique. *Le Cheval d'orgueil* n'est pas un film culturel sur la Bretagne, mais simplement un film à « histoires ».

Gros échec critique et commercial (le sujet est trop lourd, le ton trop solennel, le style trop empesé), *le Cheval d'orgueil* n'en rassemble pas moins des thèmes profondément chabroliens. Corentin Calvez, le père de ce conteur « qu'on croit quand il raconte », est trouvé mort de froid, puis renaît à la chaleur du feu. Chabrol disserte donc sur la résurrection et définit lui-même son film comme « *non-chrétien, transcen-*

Le Cheval d'Orgueil
un film de
CLAUDE CHABROL

D'abord un film à « histoires ».

dantal » [1].

Au-delà, on pense à l'hésitation entre la vie et la mort qui était le sujet d'*Alice ou la dernière fugue*. Quant à Violette Nozière, ne renaissait-elle pas aussi, finalement, d'une « petite mort » comme celle qu'affronte Corentin Calvez ? Isolé dans la filmographie, *le Cheval d'orgueil* n'a cependant rien d'une île perdue.

Les Fantômes du chapelier (1982)

Producteur : Horizon Productions, SFPC, Films Antenne 2
Scénario : Claude Chabrol, d'après le roman de Georges Simenon
Images : Jean Rabier (Eastmancolor)
Son : René Levert
Décors : Jean-Louis Poveda
Musique : Matthieu Chabrol
Montage : Monique Fardoulis

---

1. Interview, *La Croix*, 24 mai 1980.

Distributeur : Gaumont
Durée : 120 minutes.

Interprétation : Michel Serrault *(Léon Labbé)*, Charles Aznavour *(Kachoudas)*, Aurore Clément *(Berthe Lachaume)*, Monique Chaumette *(Mathilde Labbé)*, Mario David *(Pigeac)*, Fabrice Ploquin *(Valentin)*, François Cluzet *(Jeantet)*, Christine Paolini *(Louise)*, Nathalie Hayat *(Esther)*, Isabelle Sadoyan *(madame Kachoudas)*, Jean Champion *(le sénateur)*, Victor Garrivier *(le médecin)*, Jean Leumais *(Lambert)*, Marcel Guy *(Gabriel)*, Jean-Claude Bouillaud *(le père de Louise)*, Pierre-François Dumeniaud, Isabelle Lafont, Aurore Paquiss, Marcel Godot.

Kachoudas, le tailleur, habite en face de chez Labbé, le chapelier, dont l'épouse, Mathilde, garde la chambre. De chez lui, Kachoudas peut apercevoir sa silhouette. En fait, c'est un mannequin ; Labbé a tué son épouse. Le chapelier assassine également d'autres femmes ; sans mobile apparent, du moins pour le commissaire Pigeac ou le journaliste de la presse locale, Jeantet. Kachoudas comprend, lui, la culpabilité du chapelier, mais ne dit rien alors que toute la ville est sur les dents. Mais le tailleur tombe malade, et Labbé lui explique tout : il a dû tuer ces femmes parce qu'elles sont les amies de son épouse et que, évidemment, elles croient Mathilde encore vivante. Kachoudas meurt, et le chapelier est seul. Dans sa folie, il tue la bonne, Louise, puis Berthe, la « fille » de la ville. Au petit matin, après ce dernier meurtre, il est surpris par la police.

Les Fantômes du chapelier, c'est d'abord un climat, d'une petite ville, sans vie, où il pleut tout le temps, et qui sent le renfermé, ou la naphtaline. Rien d'étonnant donc à ce que ce film soit l'une des œuvres les plus introverties de Chabrol, avec, peut-être, *le Cri du hibou*, dont l'atmosphère sera tout aussi étouffante. Mais ce qui différencie *les Fantômes* de ce film-ci, c'est que cette introversion va de pair avec un jeu d'acteur presque outrancier, où Serrault excelle : nous sommes loin de la relative neutralité des visages dans *le Cri du hibou. Les Fantômes*, lui, est résolument visuel, soutenu par une esthétique « expressionniste » (qui, sur ce plan, fait écho à *Violette Nozière*), par conséquent délibérément « cinématographique ». Et pourtant, le réalisateur ne cherche pas à donner du charme à cette emphase (comme, par exemple, dans *A double tour)*. Le style est sec : c'est là sa vraie noirceur. Si Chabrol reste ici un grand filmeur et croit plus que jamais au cinéma, il ne cache pas une certaine lassitude dans la nécessité de raconter une histoire. Plus qu'ailleurs (dans la filmographie), *les Fantômes* est plutôt un film à *personnages*.

Kachoudas est intrigué par l'immobilité de l'épouse du chapelier ; et Labbé est flatté par l'intérêt que lui porte le tailleur. Les deux hommes ne sont pas amis mais s'attirent l'un l'autre. Ils se parleront très peu et ne s'écouteront guère. La fascination se décline sur un mode cruel.

L'attraction-répulsion existe d'emblée entre les deux hommes. Le chapelier doit se surprendre à regarder cette famille qui grouille en face de chez lui. Le tailleur, se sentant parfois écrasé par les siens, apprécie la liberté de mouvement du chapelier que permet sa (quasi) solitude.

Fidèle à son modèle classique, Chabrol passe à la « traversée des apparences ». Le plus dépendant des deux n'est peut-être pas celui qu'on croit. Labbé a viscéralement besoin d'être regardé. Seul, il ne cesse de se contempler dans des miroirs. A peine a-t-il étranglé Mathilde qu'il vérifie son allure dans une glace. Pas vu, il veut se voir, pour se convaincre d'être visible. Labbé n'existe que par l'image qu'il donne de lui. Ce sont là les limites de son paraître.

De son côté, le tailleur vit (pas pour longtemps) une terrible contradiction. Kachoudas (dont Chabrol ne cache pas la judéité) est fraîchement arrivé dans cette ville qu'on suppose bretonne. Il confie à Labbé son passé tumultueux, les pays que lui et sa famille ont dû traverser, les vexations, les horreurs qu'il lui a fallu affronter, et que Kachoudas ne pensait plus jamais revoir. Surtout pas ici où il avoue être « bien », ayant cru pouvoir vivre « sans histoires » — on retrouve ici le film qui n'en est pas vraiment pourvu : avant le chapelier, Kachoudas vivait une existence morne ; sa vie est devenue insupportable en compagnie de Labbé ; de même, la seule « histoire » que distille *les Fantômes* est simplement horrible. Le mauvais sort a voulu que Kachoudas croise Labbé et ses crimes : l'horreur est toujours là. Ainsi, le tailleur descend-il de Landru, du « boucher », frappé de la même sur-conscience.

Une fois ses craintes vérifiées auprès du chapelier, le tailleur ne devrait plus dépendre de lui. Après cette première « traversée des apparences », Kachoudas « sait » (l'horreur du monde resurgie) : on a envie de dire ça devrait lui suffire...

s'il ne souffrait pas d'un autre mal.

Les méfaits de Labbé l'ont indéniablement fasciné. Qui sait s'il n'y a pas pris plaisir ? Chabrol soulève ici « la » terrible contradiction. Le pauvre Kachoudas a subi une double « traversée », la seconde plus horrible encore que la première. On comprend qu'il ne s'en remette pas.

Chacun étant à la fois bourreau et victime, Labbé et Kachoudas sont donc (un peu) comme les deux facettes d'un même personnage : le chapelier et son fantôme !

Le Sang des autres (1984)

Producteur : Antenne 2, Films A2, Téléfilm Canada, I.C.C.
Scénario : Brian Moore, d'après le roman de Simone de Beauvoir
Images : Richard Ciupka (couleurs)
Son : Patrick Rousseau, Jean-Bernard Thomasson
Décors : François Comtet
Musique : François Dompierre, Matthieu Chabrol
Montage : Yves Langlois
Distributeur : ParaFrance
Durée : 130 minutes.

Interprétation : Jodie Foster *(Hélène Bertrand)*, Michael Ontkean *(Jean Blomart)*, Lambert Wilson *(Paul Perrier)*, Stéphane Audran *(Gigi)*, Alexandra Stewart *(Madeleine)*, Sam Neill *(Bergman)*, Jean-François Balmer *(Arnaud)*, Christine Laurent *(Denise)*, Roger Mirmont *(Marcel)*, Marie Bunel *(Yvonne Klotz)*, Jean-Pierre Aumont *(monsieur Blomart)*, Michel Robin *(Raoul)*, Micheline Presle *(madame Monge)*, Monique Mercure *(madame Klotz)*, Renaud Verley *(docteur Duval)*, Kate Reid *(madame Blomart)*, John Vernon *(général von Loenig)*, Marcel Guy *(docteur Lenfant)*, Catherine Lacheno *(madame Grant)*, Jacques François *(colonel Catelas)*, George Bruce *(aide de camp)*, Alain Doutey *(Leclère)*, Georges Claisse, Jean Champion.

Paris, 1938. Hélène est modéliste. Elle fréquente Paul Perrier qui milite au parti communiste. Grâce à lui, elle rencontre Jean Blomart dont elle tombe amoureuse. La guerre les sépare. Jean est mobilisé puis fait prisonnier. Mais il est libéré par les bons soins de Dieter Bergman, un Allemand qui travaille avec Gigi, la patronne d'Hélène, collaboratrice. Jean entre dans la Résistance. Dieter le sait mais se tait par amour pour Hélène, laquelle se trouve prise entre deux feux.

Mais l'étau se resserre. Dieter, contre son silence, veut acheter Hélène. Celle-ci, pour prouver sa fidélité à Jean, entre dans la Résistance. Elle est blessée mortellement dans une action.

Jean ayant volé sans le savoir une bicyclette, Hélène retient qu'il a accompli « une chose qui ne se fait pas », et que par conséquent il est amoureux d'elle. Jean aura beau clamer qu'il la croyait propriétaire de l'engin, Hélène s'accroche contre toute logique à son interprétation. La jeune femme, il est vrai, en est encore à « l'apparence » des choses.

Pour séduire Jean, Hélène commence à faire de la politique, puis rejoint la Résistance. A travers l'amour, elle se métamorphose — elle dit n'avoir eu aucun but dans la vie jusqu'à sa rencontre avec Jean. Désormais, elle vole elle-même ses bicyclettes, et ne se contente pas de tourner en rond avec. Elle a un but, et les jeux de transgression ne l'intéressent plus. Si Dieter, Allemand, amoureux d'elle, « fait des choses qu'il ne devrait pas faire », cette attitude qu'elle prônait jadis ne la touche plus. La complexité de sa situation ne peut plus s'accommoder de son romantisme d'avant la guerre. Hélène reste avec Dieter par opportunisme, une attitude qu'elle aurait refusée naguère.

Maintenant ambivalente (comme le monde), elle a appris à être chabrolienne. Sa défaite rejoint celle des Landru, boucher et autre chapelier, emportés par des forces dont ils ne tiennent plus les rênes, et perdus dans l'interrogation d'eux-mêmes.

Alors qu'Hélène se meurt dignement, Jean fomente contre des intérêts allemands un attentat dans une gare, faisant inévitablement des victimes innocentes. Le pessimisme chabrolien persiste et signe. Dommage qu'il croule sous les contraintes de la production internationale !

Poulet au vinaigre (1985)

Producteur : MK2 Productions (Marin Karmitz)
Scénario : Claude Chabrol et Dominique Roulet, d'après le roman de D. Roulet, *Une mort en trop*
Images : Jean Rabier (couleurs)
Son : Jean-Bernard Thomasson
Décors : Françoise Benoît-Fresco
Musique : Matthieu Chabrol
Montage : Monique Fardoulis
Distributeur : MK2 Diffusions

Durée : 110 minutes.

Interprétation : Jean Poiret *(inspecteur Jean Lavardin)*, Stéphane Audran *(madame Cuno)*, Lucas Belvaux *(Louis)*, Michel Bouquet *(Lavoisier)*, Jean Topart *(Moraceau)*, Caroline Cellier *(Anna)*, Jean-Claude Bouillaud *(Filiol)*, Jacques Frantz *(Alexandre)*, Joséphine Chaplin *(Delphine)*, Pauline Lafont *(Henriette)*, Andrée Tainsy *(Marthe)*, Albert Dray *(le barman)*, Dominique Zardi *(le chef de poste)*, Henri Attal *(l'employé de la morgue)*, Jean-Marie Arnoux *(client de café)*, Marcel Guy *(maître d'hôtel)*.

Le boucher Filiol, le notaire Lavoisier, et le médecin Moraceau veulent réaliser une opération immobilière contre madame Cuno et son fils Louis, postier de sa profession. Louis a provoqué la mort accidentelle de Filiol, et Delphine Moraceau a disparu, deux faits qui amènent l'inspecteur Lavardin sur les lieux. Anna, amie de Delphine et maîtresse de Lavoisier, disparaît à son tour. Moraceau est coupable du double crime de sa femme et d'Anna. Lavardin ferme les yeux sur le geste malheureux de Louis. Libéré de sa mère envoyée à l'asile, il peut retrouver Henriette, sa jolie collègue, pour une idylle prévisible.

Un photographe épingle les invités d'une party. Un homme, plutôt rustre, boit de la bière au goulot. Il rejoint deux autres dont la retenue trahit l'origine bourgeoise. Une jeune femme, éméchée, semble la complice d'une amie qui s'irrite contre quelque chose. On ne sait pas quoi. Le photographe la suit plus particulièrement. Elle s'en aperçoit et nous regarde. Nous ? Oui, la caméra. A chaque fois, l'image s'arrête : *Poulet au vinaigre* sera plus une galerie de personnages qu'une intrigue. Il n'y aurait donc rien de nouveau depuis *les Fantômes du chapelier ?* C'est oublier qu'ici Chabrol joue la carte du charme, met en place son « décor » habituel [1], flatte le public en concoctant (dans une marmite) un récit jubilatoire, et oublie l'esthétique noire des *Fantômes*. Avec *Poulet au vinaigre*, nous sommes entrés dans l'ère « Lavardin » !

Nous le saurons plus tard : cette party cache une machinerie moins souriante. L'individu bruyant, Filiol, et les deux notables, Lavoisier et Moraceau, sont bien les associés de la Filamo, et les complices d'un « coup » qui déplaît à Delphine. Anna, elle, se désintéresse de cette histoire « immobi-

---

1. Cf. « Le décor chabrolien ».

lière » [1] ; seul lui importe le danger que court son amie. Chabrol suit un peu la même démarche. Son préambule, sans dialogues audibles, scrute les relations entre les personnages, leurs affinités ou leur antipathie, sans trop se préoccuper de leur passé, ni des projets dans lesquels ils sont impliqués.

La vraie mission de Lavardin, véritable propos de ce film, est de s'occuper de Louis, le jeune postier. Une simple visite chez les Cuno lui fait comprendre l'emprise de la mère sur le fils. Et, par une sorte de sens inné, celle-ci voit tout de suite en Lavardin son pire ennemi. Méfiante, madame Cuno s'exclut du champ. Elle ne pourra plus réintégrer le devant de la scène (affective).

Par chance pour l'inspecteur, les disparitions successives qui font jaser la ville, et le sort affectif de Louis, sont liés. Lavardin doit fermer les yeux sur le geste puéril du « jeune Cuno » (le sucre dans le réservoir de Filiol), pour qu'il puisse roucouler avec Henriette. Mais (le film est « aussi » un polar) les choses se dénoueront au dernier moment. Pour cela, Chabrol réutilise le procédé du montage parallèle qui concluait *les Fantômes du chapelier*. Lavardin débusque le cadavre de Delphine dans l'un des « Maillol » du parc de Moraceau. Madame Cuno « fout le feu » à la maison, ayant mis à exécution les menaces proférées à l'encontre de Louis. Et la voilà internée, par les bons soins de Lavardin. Louis peut enfin goûter pleinement les joies de la vie avec Henriette.

Débarrassé de sa mère, Louis devrait pourtant se méfier des « apparences » avantageuses de la jolie postière. Henriette et madame Cuno tiennent le même discours, avec d'autres mots : sans doute une affaire de génération. Et, lorsque la mère est emmenée à l'hôpital sous les yeux de son fils, et qu'Henriette dit à Louis « Tu la reverras ta mère », elle pourrait ajouter : « à travers moi » [2].

Même sans les services de Lavardin, Henriette serait parvenue à ses fins. Le seul vrai danger pour elle aura été Anna. La postière ne s'y trompe pas, et s'applique à dénigrer sa rivale potentielle auprès de Louis. Car, entre Anna et lui

---

1. Cette histoire est d'ailleurs, de courte durée. Une fois FI-liol décédé, et MO-raceau désespéré par la mort de sa femme, LA-voisier le dira lui-même : les projets de la FI-LA-MO n'ont plus lieu d'être. La fiction initiale de ce film aura été un feu de paille !
2. La mise en scène souligne cette similitude de caractère entre les deux femmes (cf. « Le cinéma de Chabrol »).

passe une sorte de gravité amoureuse, touchante parce que s'y mêle un sentiment fort de ratage. La jeune femme, à qui il reste un peu de courage et de lucidité, implore presque le facteur : « Emmenez-moi ». Sous-entendu, loin des magouilles de cette ville sinistre, de la vie qu'elle mène. Ce n'est pas une prière auprès du premier venu. Anna n'a rien demandé au barman qui pourtant se meurt d'amour pour elle. Louis ne l'emmène pas, il la ramène dans son enfer, la bourgade, et se contente même, pour ne pas être vu avec une « fille », de la déposer à l'entrée de la ville.

On ne pourra pas reprocher à Chabrol de ne pas être lucide dans sa cruauté à l'encontre de ce postier décidément bien jeune. En quittant sa mère pour Henriette, Louis n'a vraiment que ce qu'il mérite.

Inspecteur Lavardin (1986)

Producteur : MK2 Productions (M. Karmitz), Films A2, Télévision Suisse romande, C.A.B. Productions
Scénario : Claude Chabrol, Dominique Roulet
Images : Jean Rabier (couleurs)
Son : Jean-Bernard Thomasson, Jean-Jacques Ferrand
Décors : Françoise Benoît-Fresco
Musique : Matthieu Chabrol
Montage : Monique Fardoulis
Distributeur : MK2 Diffusion
Durée : 100 minutes.

Interprétation : Jean Poiret *(inspecteur Lavardin)*, Bernadette Lafont *(Hélène)*, Jean-Claude Brialy *(Claude)*, Jean-Luc Bideau *(Max)*, Hermine Clair *(Véronique)*, Pierre-François Dumeniaud *(Vigouroux)*, Florent Gibassier *(Francis)*, Jean Depassé *(Volga)*, Serge Feuillet *(le curé)*, Michel Fontayne *(le videur)*, Chantal Gresset *(Eve)*, Odette Simonneau *(Denise)*, Robert Mazet *(Léon)*.

Lavardin enquête sur la mort de Raoul Mons, dont la veuve, Hélène, ne lui est pas inconnue. Ce fut jadis sa maîtresse. Maintenant, elle vit dans le souvenir de Pierre Manguin, son premier mari de qui elle a eu Véronique. Pierre se serait perdu en mer avec Jeanne. En fait, ils sont bien vivants : Jeanne et lui avaient une liaison et ont décidé de la vivre librement. Ces « morts » ont permis à Claude d'organiser entre Mons et Hélène un mariage fructueux (à en juger la fortune de Raoul). Jusqu'ici, seule Hélène semblait ignorer la vérité sur les « disparitions » de Pierre et de Jeanne.

Malheureusement, Mons a compris les dessous de l'affaire et menace de tout divulguer. Contre son silence, il veut obtenir les faveurs de Véronique qui, en se défendant, le tue accidentellement. Claude s'arrange pour disculper sa nièce. Seulement, le « tonton » conciliant n'avait pas prévu un fait : le meurtre involontaire a été filmé par Francis qui tente de faire chanter Claude. Lavardin finit par tout comprendre ; mais il préfère inculper Max Charmet, le patron du Tamaris, et ignorer l'acte de Véronique.

Dans *Poulet au vinaigre*, Lavardin arrivait en milieu de récit ; le titre de ce film-ci indique l'hégémonie sans partage de l'inspecteur, qui, grâce à Jean Poiret, donne à l'œuvre son caractère particulièrement jubilatoire. Les quelques notes qui assombrissaient *Poulet au vinaigre*, issues sans doute de l'atmosphère des *Fantômes du chapelier*, semblent avoir disparu. Et pourtant, la légèreté, indéniable, d'*Inspecteur Lavardin*, ne masque pas un monde chaotique, et un personnage (Lavardin) en réalité assez sombre. Mais tout cela, maintenant, ne peut être lu qu'entre les lignes.

Vigouroux, l'adjoint, accueille Lavardin en faisant un bref portrait du défunt, Raoul Mons. Quelqu'un de « très catholique », dit-il. On peut déjà être persuadé du contraire. Mons faisait à son ascétisme des entraves aussi libérales que discrètes. S'emportant contre une pièce impertinente, l'écrivain fustigeait le « blasphème ». La tâche de Lavardin sera de voir qui blasphème contre quoi.

Lavardin opère dans un monde voué au faux-semblant. Mons en était presqu'une caricature, à laquelle pourtant Max, le patron du Tamaris, rend un hommage posthume : « l'image qu'il donnait de lui ne correspondait pas à ses pulsions profondes ». Lavardin peut lui faire confiance : Max est expert en hypocrisie. Le patron de la boîte de nuit vit du monde qu'il juge « ridicule », exploite la crédulité de la jeunesse. Max vérifie son sourire publicitaire dans une glace, comme s'il voulait fixer son double. Son image dans le miroir a fini par le tromper lui-même. Max n'existe plus ; il n'est que son reflet.

Chabrol tient l'hypocrisie pour « *l'aspect extérieur qui est différent de l'aspect intérieur* » [1]. Cette définition colle parfaitement au langage de Max qui n'a pas son pareil pour

---

1. Interview, *Le Matin de Paris*, 12-3-1986.

dissimuler ses desseins sous un masque de civilité. Il déverse sur Lavardin sa rhétorique poisseuse. « Monsieur l'inspecteur, je me tiens à votre entière disposition. J'ai un certain nombre de relations certes pas négligeables. Si je peux vous aider, n'hésitez pas » : à côté de lui, Landru, pourtant féru en matière de paraître, a l'air d'un tâcheron.

L'inspecteur, comme tous les lucides chabroliens, doit surmonter l'abjection. Landru, ou le boucher, avaient choisi de laver l'horreur du monde dans le crime. Lavardin a décidé de pourfendre le mal en évitant de faire couler le sang. Pour cela, il lui faut cultiver le faux, ruser, biaiser, mentir, ce qui revient à se battre avec les armes de ses adversaires.

L'hypocrisie de Mons était poussiéreuse, et ne pouvait vraiment tromper que des grenouilles de bénitier (moquées par Chabrol au début du film). Personne dans son entourage n'était dupe. L'image de l'écrivain passait mal. En un mot, il ne « communiquait » pas. Max est plus à la page. Ses contemporains aiment le clinquant, le factice ; l'homme leur en donne. Et son instrument de prédilection, c'est la télévision. Dans son établissement, des centaines d'yeux, jeunes (cette fois, Chabrol épingle avec un soupçon de méchanceté, cette jeunesse qui aime le rock et les vidéo-clips), s'aveuglent sur le petit écran ; comme ceux, en verre, que dessine Claude, témoin, aussi lucide que Lavardin, de la dégradation du monde. Max, le « branché », tue le regard de ses contemporains : Lavardin (Chabrol) ne le lui pardonnera pas. Mais l'inspecteur ne se satisfait pas de lui signifier une inculpation (injustifiée), il la « médiatise ».

L'arrestation de Max s'effectue en présence de deux Rouletabilles de la presse locale, un photographe et un ingénieur du son. Il s'agit d'abord de vengeance, et de retourner contre le méchant les armes de son succès. Mais aussi (pour Chabrol) de montrer les médias capables du meilleur comme du pire. L'ambiguïté est en effet redoutable : les reporters approuvent (inconsciemment) un mensonge pour servir une vérité, mais il en serait de même si l'imposture était moins louable. Cette ambivalence se retrouve dans l'utilisation de la vidéo. Celle-ci, porteuse de médiocrité et de vice, peut aussi servir la vérité : sans la névrose de Francis qui « enregistrait tout », Lavardin n'aurait sans doute pas pu faire justice.

Lavardin a (comme Max finalement) une grande faculté d'adaptation : c'est l'une de ses « qualités ».

Masques (1986)

Producteur : MK2 Productions (M. Karmitz), Films A2
Scénario : Claude Chabrol, Odile Barski
Images : Jean Rabier (Eastmancolor)
Son : Jean-Bernard Thomasson
Décors : Françoise Benoît-Fresco
Musique : Matthieu Chabrol
Montage : Monique Fardoulis
Distributeur : MK2 Diffusions
Durée : 100 minutes.

Interprétation : Philippe Noiret *(Christian Legagneur)*, Robin Renucci *(Roland Wolf)*, Anne Brochet *(Catherine)*, Bernadette Lafont *(Patricia)*, Roger Dumas *(Manu)*, Monique Chaumette *(Colette)*, Pierre-François Dumeniaud *(Max)*, Renée Dennsy *(Emilie)*, Blanche Ariel *(Rosette)*, René Marjac *(Maurice)*, Paul Vally *(Henry)*, Michel Dupuis *(l'assistant)*, Pierre Risch *(M. Loury)*, Henri Attal *(le surveillant)*, Dominique Zardi *(Totor)*.

Roland Wolf veut écrire une biographie de Christian Legagneur. A cette fin, il se fait inviter par l'animateur de télévision dans sa propriété de province. Là, l'homme a son petit monde. Max, muet, sert de chauffeur et de cuisinier. Manu est sommelier, et Patricia, masseuse. Colette est à la fois secrétaire personnelle de Legagneur et garde-malade de Catherine, la filleule de l'animateur, qui serait souffrante des suites d'un mauvais traitement. En fait, Roland agit sous un faux nom. Il s'appelle Chevalier et veut retrouver la trace de sa sœur Madeleine, disparue après un séjour chez Legagneur. Faute d'être malade, Catherine est droguée par son parrain qui a empoché sa fortune. La filleule retrouve la lucidité grâce au faux-biographe qui la sauve in extremis des griffes de Legagneur.

Masques gravite autour d'un duel, chabrolien, où les deux adversaires sont moins opposés qu'on ne le pense. Le combat de Wolf contre Legagneur n'est pas celui de la vérité contre le mensonge, de la vertu contre l'hypocrisie, du désintéressement contre l'avidité, plus généralement du bien contre le mal. Il s'agit seulement ici de lutte pour le pouvoir. Et pour cela, tous les coups sont permis.

Qui sont ces deux gladiateurs ? A la ville, Legagneur joue pour son entourage une version privée de « Bonheur pour tous » (c'est le nom de l'émission qu'il anime) où chacun s'infantilise doucement, bercé par son discours lénifiant. L'homme n'a pourtant recours, semble-t-il, à aucune tyrannie. La diplomatie est reine. Et puis tous acceptent la servilité « parce qu'ils s'amusent ». Bon prédateur chabrolien, Legagneur bénéficie d'une faculté d'adaptation redoutable. Et, comme Max Charmet (mais aussi, on l'a vu, l'inspecteur lui-même !) d'*Inspecteur Lavardin*, il se sert des techniques relationnelles propres à la télévision pour soumettre le monde à ses désirs.

Néanmoins, il s'égare, Legagneur. Mais toujours hors antenne, ou le micro débranché. Pas contrariant, Wolf affecte de ne pas remarquer ces petites erreurs qui iront grossissant. Il feint la soumission pour mieux désigner ironiquement l'autoritarisme de son hôte. « J'ai sommeil », décrète le maître de maison. « Alors nous avons tous sommeil », répond son invité dans un sourire. Sa flatterie est destructrice : « J'étais en train de penser », réfléchit tout haut l'animateur ; « J'en suis sûr », coupe Wolf. Ailleurs, le « loup » complimente le « gagneur » pour ses talents (réels) de comédien, suggérant ainsi sa capacité à jouer double jeu.

S'instaure une rivalité quasi ludique entre les deux adversaires. On cherche à être sous-estimé de son rival, pour le rendre moins vigilant. Cette technique rappelle celle des personnages du *Scandale*. Wolf accuse Legagneur de faire exprès de perdre au tennis (*le Scandale*, justement). Ce dernier joue alors celui qui serait découvert par une personne plus intelligente que lui. Aux échecs, la véritable partie se joue autour du « qui perd gagne ». Wolf félicite Legagneur pour avoir gagné. Et le gagnant n'est pas tellement heureux. « Vous aussi, dit-il, vous êtes très fort ». Legagneur voudrait ajouter : d'avoir perdu si brillamment.

Legagneur a fini par prendre son duel avec Wolf comme un jeu (télévisuel) de plus. Mais il est dépassé au jeu du « qui perd gagne ». Vainqueur à la seconde partie d'échecs, il n'y voit pas l'annonce de sa chute.

Masques ressemble fort à une fable sur les rapports, difficiles, entre le cinéma et la télévision. L'animateur ayant perdu, le cinéma semble donc vainqueur... quand nous vient à l'esprit une autre « fable », qu'on appellera simplement « le gagneur et le loup ». Le « gagneur » joue, le « loup » tue. Wolf est prêt à n'importe quoi, pourvu qu'il ait tout, « Catherine et l'argent ». Il « tuerait sa sœur pour un bon mot », ce qui ne manque pas de sel, vu sa mission initiale. Cette avidité s'explique par un complexe vis-à-vis de la création artistique — du cinéma ? — comme le montre sa réticence à parler des romans qu'il écrit. Il dit les publier sous son vrai nom qui se trouve être un faux. Après Albin, et d'autres, on sait ce que Chabrol pense des pseudonymes...

Wolf n'est qu'un Legagneur bis, au sens où, comme l'original le confesse dans sa dernière prestation, il a « toujours fait le contraire de ce qu'il aurait voulu faire ».

Et Catherine, dans cette fable ? Son nom de famille est « Lecœur » : autant dire qu'elle symbolise, « est », la télévision de Legagneur exhibant justement « le langage du cœur ». Comme Anna de *Poulet au vinaigre*, qui passait d'ailleurs son temps devant le petit écran, elle porte des lunettes noires, craignant la lumière du jour. Affranchie de la tutelle de son parrain, elle retire ce voile opaque pour voir « d'où vient la vraie lumière », sous-entendu celle de Wolf qui en réalité s'appelle Chevalier. A regarder comment la filleule, recouvrant la lucidité, gagne en perfidie, et se met à flatter ses ennemis, on se dit que de tels noms, Chevalier ou Lecœur, cachent parfois des causes moins nobles, et qu'au surplus, concernant notre fable, Catherine a sans doute quitté « une » télévision. Mais pour quoi ?

Une autre fable, « le moustique et le diplodocus », en est peut-être la réponse... [1].

Le Cri du hibou (1987)

Producteur : ItalFrance, Ci.Vi.Te.Ca.Sa. Films (Antonio Passalia)
Scénario : Claude Chabrol, Odile Barski ; d'après le roman de Patricia Highsmith
Images : Jean Rabier
Son : Jean-Bernard Thomasson
Décors : Jacques Leguillon
Montage : Monique Fardoulis
Distributeur : United International Pictures
Durée : 102 minutes.

Interprétation : Christophe Malavoy *(Robert)*, Mathilda May *(Juliette)*, Jacques Penot *(Patrick)*, Jean-Pierre Kalfon *(le commissaire)*, Virginie Thévenet *(Véronique)*, Patrice Ker-

---

1. Cf. « Le cinéma de Chabrol ».

brat *(Marcello)*, Jean-Claude Lecas *(Jacques)*, Agnès Denefle *(Suzie)*, Victor Garrivier *(le médecin)*, Jacques Brunet *(le père)*, Charles Millot *(le directeur)*, Yvette Petit *(la voisine)*, Dominique Zardi *(le voisin)*, Henri Attal *(un flic)*.

Vichy. Juliette tombe amoureuse de Robert qui rôdait autour de sa maison. Mais celui-ci se refuse à elle. Séparé de sa femme Véronique, Robert ne veut pas d'une nouvelle aventure sentimentale ; il est secret. D'ailleurs, Juliette vit avec Patrick qui est fou d'elle. Sans l'avoir voulu, Robert a détruit le couple. Patrick disparaît à la suite d'une altercation avec ce fauteur de troubles. Le commissaire ne tarde pas à soupçonner Robert de meurtre. En fait, Patrick se cache à Paris, protégé par Véronique. Les événements se précipitent. Juliette, qui souffrait d'une étrange obsession de la mort, se suicide. Les soupçons du commissaire redoublent. Fou de rage, Patrick redescend à Vichy pour affoler son rival qui se sent menacé. Mais, à bout de nerfs, Patrick se rend à la police. Voilà Robert disculpé... pour un moment. Patrick est libéré. Avec Véronique, il se rend chez Robert pour un ultime règlement de comptes. L'ancienne compagne de Robert y laisse sa vie. Et celui-ci aura sans doute encore plus de mal à prouver son innocence.

Comparé à celui des *Lavardin*, le climat de *Masques* (malgré l'espièglerie talentueuse des personnages) s'était quelque peu empesé. *Le Cri du hibou* ne renverse pas la tendance, loin s'en faut, et renoue même avec la gravité d'œuvres plus anciennes nettement marquées par le thème de la transcendance. *Le Cri du hibou* se réfère donc plutôt à des films comme *le Cheval d'orgueil*, *Violette Nozière* (mais avec l'humour en moins) ou *Alice ou la dernière fugue*. Dans cette atmosphère quasi fantastique, la gouaillerie de l'inspecteur Lavardin apparaît lointaine : on peut le regretter ou s'en réjouir, c'est selon. D'ailleurs, le nouveau commissaire (le seul personnage vraiment drôle joué en finesse par Jean-Pierre Kalfon) n'a absolument rien à voir avec les manières de flic de son aîné : l'homme veut surtout qu'on le laisse tranquille, et le peu d'entrain à mener son enquête suggère que *le Cri du hibou* se moque pas mal du polar.

On sait l'importance des pré-génériques chez Chabrol. Là, Robert regarde Juliette à travers une baie vitrée. La jeune femme est donc, à son insu, en représentation, et c'est de celle-ci qu'il sera question tout au long de ce film : *le Cri du hibou* nous parle de l'image qu'on donne de soi, « malgré » soi.

Alors qu'ils ne se connaissent pas encore, Juliette demande à son étrange visiteur ce qu'elle représente pour lui. La réponse de Robert, convaincu d'avoir espionné une épouse heureuse, ne la satisfait pas. De cette insatisfaction (qui caractérise tous les personnages excepté l'inspecteur) naît la confusion.

Robert n'échappe donc pas à la règle : à force de s'entendre dire par Véronique, son épouse, qu'il est fou, il finit par le croire vraiment, et cherche une thérapie dans le voyeurisme. Voir sans être vu permet de voler « une image rassurante » (définition que Robert fait de Juliette) sans avoir à donner en retour. Chabrol ne l'a pas appelé « Forestier » pour rien. On retrouve la double signification du mot rencontrée dans *Alice ou la dernière fugue*. Si la forêt a un côté rassurant, elle est aussi désordre et confusion : on peut très bien ne jamais en revenir. Cette dualité témoigne, chez Robert, du partage entre la volonté d'une vie stable et le désir de s'étourdir, de se perdre (comme dans une forêt). Un peu, pas trop.

Côté tourmente, Robert est servi : Juliette s'appelle « Vo-

Collection Abbas Fahdel

Qui, de Juliette ou de Robert, est plus proche de la « petite mort » ?

lant », et elle est née à « Moulins ». Comme celle de Robert, la personnalité de la jeune femme est ambivalente. Si le vent permet de dégager une énergie salutaire, faisant table rase d'obstacles encombrants, il peut aussi tourner sur lui-même. Juliette ne mesure pas toutes les conséquences de ses (graves) décisions. En cela, elle est l'opposé de Robert. Lui s'effraie du plus petit changement qu'impliquerait le moindre choix.

Alors il joue, Robert ; à s'aventurer dans des situations délicates, qui « devraient » (s'il s'agissait de vraie vie et non de jeu) entraîner des choix douloureux. Or, par ce jeu, la douleur, réelle, n'atteint que les autres — le médecin constatera que « dans cette histoire, il (notre joueur) n'est pas le plus malheureux ». Robert « joue » les briseurs de ménage, et lit, dans un sourire malsain, le désarroi de Patrick, le compagnon de Juliette. Forestier descend d'une lignée funeste, ouverte par Albin de *l'Œil du malin*. Et, parce que ce n'est, selon lui, qu'un jeu, l'homme clame son innocence (comme Albin jadis). Son entourage désire des preuves ? Il n'est pas l'amant de Juliette, ou si peu. Quant à la faillite du couple, ne faut-il pas en rechercher la cause dans l'attitude de Juliette, que d'ailleurs (une preuve supplémentaire) Robert juge puérile ? Voilà un système parfaitement huilé : Forestier ne peut entraîner le chaos, encore moins la mort ; le voudrait-il qu'il ne peut être la cause de toutes ces catastrophes (réelles) qui s'accumulent autour de lui. Et là, nous sommes au cœur du *Cri du hibou*.

D'où vient que Robert fasse preuve d'autant de candeur ? Penser que Forestier feint la naïveté serait une erreur. Non, le « joueur » se croit innocent parce qu'il est convaincu de ne pas exister. Simplement. Comment un être privé de vie pourrait-il déclencher tant de ravages parmi ceux qui en sont pourvus ? Pour Christophe Malavoy (Robert), raconte Chabrol [1], le personnage *revient de chez les morts*. Nous savons, pour notre part, qu'il a survécu (est-ce le mot ?) à un cauchemar qui s'appelle Véronique, laquelle, c'est vrai, n'est guère « humaine ». Mais, encore une fois, l'important réside dans la « conviction » de Robert sur sa résurrection, certitude intime qui encourage, et explique, son attitude. Revenu d'une « petite mort » (rappelons-nous *le Cheval d'orgueil*), qui l'exclut de la vie, Forestier regarde sans être vu,

---

1. Interview, *Cahiers du cinéma* n° 407-408, mai 1988.

organise les règles d'un jeu auxquelles il ne se soumet pas, se fait aimer sans donner aucune preuve d'amour en échange. Bref, il joue à la vie sans être (vraiment) vivant. Le malheur veut qu'il ne soit pas entouré de comédiens (comme lui), mais d'êtres qui ne jouent pas (comme Juliette).

Les événements prennent un tour imprévu pour Forestier quand il commence à s'impliquer, autrement dit à s'humaniser. Robert, après avoir tant espionné Juliette, ne résiste pas à l'envie de lui parler. Or, la parole est l'adage humain par excellence. Désormais à égalité avec d'autres « êtres qui ne jouent pas », Robert ne joue plus tout à fait la comédie. Toutefois, et c'est toute l'énigme du *Cri du hibou*, la répartition des rôles entre les personnages peut aisément se renverser. La séquence où Robert regarde Juliette par la fameuse fenêtre a lieu de troubler. A y réfléchir, il devient difficile de savoir à quel camp, de la vie ou de la mort, appartiennent l'un et l'autre protagonistes. Parce que Juliette n'est vue, « pour la première fois », en dehors de chez elle, donc privée du filtre de cette vitre, que pour entrer en contact avec Forestier, on pencherait même pour une appartenance initiale de la jeune femme au monde inaccessible de l'au-delà. Le scénario encourage d'ailleurs cette hypothèse. Juliette fait l'expérience de plusieurs « petites morts » avant d'en connaître une dernière (plus) définitive. Elle s'évanouit, ou choisot de dormir tandis qu'est cité Lord Byron, évoquant la similitude entre le sommeil et la mort. Patrick, lui, disparaît, simulant son propre décès, avant de réapparaître...

Ce doute, le « qui appartient à quoi », engendre la confusion. Nous ne savons plus de quel côté, précisément, nous sommes. Chabrol revient à l'idée maîtresse d'*Alice ou la dernière fugue*. Le mur que franchissait Alice ne séparait rien ; ici, la baie vitrée revêt une fonction tout aussi ambiguë. Et la conclusion reste la même. Vie et mort sont fortement imbriquées l'une et l'autre, au point que, comme le souligne le médecin, elles « ont exactement les mêmes caractéristiques, présentent le même intérêt, ou la même absence d'intérêt ». Ce médecin ne se sent pas, loin s'en faut, le besoin d'être en représentation, devenue pour lui bien futile. Robert devrait méditer une telle leçon ; lui qui, au surplus, prisonnier d'une « petite mort », ne se croit ni vivant ni mort. N'y a-t-il pas une contradiction à vouloir donner une image de la vie alors que justement Robert refuse celle-ci partiellement ?

La contradiction est transposable au film lui-même. Ne sachant plus très bien non plus de quel côté de la vitre, du « miroir », se trouve *le Cri du hibou*, le cinéma, cet art dit de représentation, ruine ses propres fondements. Est-ce qu'il ne croise pas, lui aussi, la « petite mort » ?

L'Escargot noir (1988)

Production : TF1, RAI TV3, RTBF, TSR, TV, Technisonor, Cosmovision
Scénario : Dominique Roulet, Claude Chabrol
D'après le roman de Dominique Roulet
Images : Jean Rabier (couleurs)
Son : Jean-Bernard Thomasson, Sylvie Liebeaux
Montage : Monique Fardoulis
Diffusion sur TF1
Durée : 100 minutes.

Interprétation : Jean Poiret *(l'inspecteur Lavardin)*, Mario David *(Mario)*, Stéphane Audran *(Catherine)*, Roger Dumas *(Pierre Tassin)*, Catherine Rouvel *(Florence)*, Jean-Louis Maury *(Jean-Philippe Picolet)*, François Perrot *(maître Legodard)*, Roger Carel *(le médecin-légiste)*.

Mario, le commissaire, reçoit dans son fief, à Tours, l'inspecteur Lavardin. Deux femmes d'environ quarante ans ont été assassinées. L'auteur signe mystérieusement ses crimes en laissant aux côtés de ses victimes un escargot noir. Une troisième, Florence, sensiblement du même âge, connaît le même sort. Lavardin découvre que ces femmes se connaissent depuis l'enfance et qu'elles sont allées à l'école ensemble. Lors d'une promenade en barque, elles ont jadis jeté à l'eau, par jeu, un enfant qui s'est noyé. C'est le frère de ce dernier, témoin de la scène, qui se venge contre les jeunes complices devenues adultes. Lavardin lui tend un piège. Ce frère vengeur n'est autre que Mario.

L'Escargot noir inaugure une série de télévision, intitulée un peu platement « Les Dossiers de l'inspecteur Lavardin », dont TF1 semble avoir eu l'initiative après le succès, sur le grand écran, des pérégrinations du flic de choc. Plusieurs réalisateurs doivent mener à bien cette entreprise télévisuelle honorable ; à charge pour eux de respecter la patte du personnage malgré leurs sensibilités personnelles. La logique voulait que Chabrol s'acquittât de ce premier « dossier »[1]. L'initiative est louable parce qu'elle vise à fixer les règles du jeu qui régissent le personnage depuis *Poulet au vinaigre* ; elle est malheureusement périlleuse car Chabrol s'y sent obligé, à tort ou à raison, de grossir le trait.

L'Escargot noir tire Lavardin vers la caricature. L'homme avait des pointes de cafard qu'il cachait avec habileté ; le voilà baignant dans le sordide sans états d'âme. D'entrée de jeu, Lavardin dit vivre « là où les autres veulent bien mourir ». On ne peut être plus clair. Cette « transparence » rappelle les moins bonnes des livraisons chabroliennes. On se souvient que Jeff, dans *les Innocents aux mains sales*, se dévoilait entièrement à Julie (et surtout au spectateur) dès leur première entrevue, ou presque. Quant aux accès de colère du flic, qui donnaient aux récits précédents truculence et drôlerie, ils deviennent trop systématiques pour être vraiment appréciés. Maintenant Lavardin emploie, tout de suite, la manière forte, au point qu'on y éprouve un sentiment de gratuité. La scène où le flic se sert d'un local de police comme d'une salle de classe pour interroger, avec autorité, les mauvais élèves que sont les notables de la ville, ne cherche même plus à être plausible. Si l'idée scénaristique ne laisse pas indifférent, elle propose du Lavardin au second degré ou, l'expression convient mieux, de deuxième génération.

De même que Chabrol caricature Lavardin pour asseoir le personnage dans la série, il lui oppose des comparses dont la caractérisation ne fait pas dans la dentelle. Les bourgeois le sont trop. Et les brutes sont vraiment épaisses. Seule Florence, angoissée, mal aimée, tire son épingle du jeu. Morte, elle arrachera un soupir de respect à Lavardin... et au spectateur. L'inspecteur triomphe : son arrivée à Chinon, derrière l'escorte des motards, le confirme. Il n'est pas sûr que ce soit pour son bien.

L'Escargot noir, donc, n'a pas la profondeur de ses deux aînés. Chabrol se contente d'exploiter son « décor » habituel, la province et ses petites lâchetés, les crimes « dont toute la ville parle », les clés livrées au spectateur au risque de déflorer trop tôt l'énigme, jusqu'à Mario David (par ailleurs excellent)

---

1. Avec un bonheur irrégulier, Christian de Challonges s'est d'ores et déjà confronté à cet exercice difficile (*le Diable en ville*, diffusé sur TF1 le 26 janvier 1989). Chabrol, lui, a rempilé pour un second « dossier » *(Maux croisés)* visible ultérieurement.

trucidant de nouvelles « bonnes femmes ». Pourquoi en ferait-il plus, alors que, dans ce décor actualisé pour les impératifs de la série, son personnage ne demande qu'à briller ?

UN PREMIER BILAN : LE VRAI MAL

Le mal « chabrolien », pierre angulaire de l'œuvre toute entière, vient de ce que les personnages sont victimes de leur paraître. Sa nature est toutefois assez complexe pour, en guise de première conclusion, mériter une analyse plus détaillée.

La négation hitchcockienne

Dans *le Faux Coupable,* Hitchcock n'évoque que brièvement les hold-up que Balestrero est injustement accusé d'avoir commis : ceux-ci n'ont pour unique fonction que d'embrayer la fiction. L'auteur s'intéresse davantage au fait que la police, l'entourage de Balestrero, ne sait pas reconnaître son innocence — en termes plus chabroliens, nous dirions que les juges du pauvre musicien ne sont pas parvenus à « traverser les apparences » de sa culpabilité. Toute la morale hitchcockienne est contenue dans cette impuissance. Le vrai mal, dit en substance Hitchcock, vient de ce que « du bien n'est pas fait ».

Cette théorie de la « négation », où le mal n'est pas explicitement nommé mais évoqué de manière indirecte, en l'occurrence par le bien « absent », on la trouve dans un article de Chabrol, « Hitchcock devant le mal » [1]. Et elle l'influence à son tour. Bel exemple que *la Femme infidèle.*

Les policiers viennent interroger les époux, Hélène et Charles Desvallées, sur la mort de l'amant. Durant cette visite, Michel, le fils, se plaint d'une pièce manquante à son puzzle. Après le départ de la police, lorsqu'il demande à son père « qui a disparu », ce dernier, excédé, répond : « la pièce de ton puzzle ». L'amant (le mal) est ainsi associé à la pièce manquante, ce qui interdit au tableau-puzzle d'être complet, harmonieux. Cette pièce est l'équivalent de la *phalange absente* du professeur Jordan, de Rebecca *disparue,* du *fossé creusé* entre les époux de *Soupçons,* de *l'amnésie* de Gregory

---

1. *Cahiers du cinéma* n° 39, octobre 1954.

Peck dans *Spellbound,* et de *ce qui fait perdre l'équilibre* à la bicyclette de Father Benoît dans *I Confess* [1].

Cette négation peut être prise dans un sens plus large. Toujours dans *la Femme infidèle,* Charles dit aimer la télévision pour sa bêtise. Il trouve du plaisir dans ce qu'il considère être la négation de l'intelligence. Au surplus, le petit écran monopolise son attention au détriment d'Hélène pour qui il manifeste « moins » de son affection. La télévision fait d'ailleurs l'objet de notations équivalentes dans d'autres films. A chaque fois, elle est un élément supplémentaire de discorde au sein du couple. Lorsque Patrick, dans *le Cri du hibou,* rentre chez lui, son premier geste est d'allumer le téléviseur, avant même de porter un regard à Juliette, sa compagne. Elle ne le lui pardonnera pas.

C'est encore plus explicite dans *Alice ou la dernière fugue.* A son compagnon qui regarde la télévision, Alice assure qu'elle « n'a rien » — lui semble soulagé, mais nous comprenons que « ne rien avoir » est un manque. La jeune femme ose à peine déranger son interlocuteur, confiné dans l'étroitesse des problèmes « pas » intéressants de sa profession « non » enrichissante. Qu'Alice ait envie de quitter cette médiocrité n'étonne pas outre mesure. Sa fugue apparaît légitime. Mais doit-elle fuir uniquement pour ne plus voir son ami ? Ce serait alors une nouvelle négation, une autre figure du mal. Ainsi, les futures épreuves d'Alice seront-elles destinées à lui faire comprendre (entre autres choses) que cette fugue, c'est-à-dire « ne pas rester », ne peut être une fin en soi.

La négation des « sans enfants »

Alice ou la dernière fugue permet d'évoquer un autre aspect du mal qui hante le cinéma chabrolien. Il s'agit de la non-procréation. On se souvient, dans *Fenêtre sur cour,* avec quelle émotion le couple sans enfant constatait la mort du chien visiblement aimé comme sa progéniture [2].

Chez Chabrol aussi, l'absence d'enfant s'avère une source de crise et de mal. L'enfant mort-né d'Yvonne est la cause

---

1. « Hitchcock devant le mal. »
2. Chabrol reprendra l'idée de cette scène dans *le Cri du hibou,* en guise de clin d'œil au maître anglais.

du désarroi de Serge, et de sa déchéance physique ; et il faut un événement heureux pour (sans doute) sauver ce père jusque là malchanceux (*le Beau Serge*). L'auteur, il est vrai, regrettera le caractère trop explicitement chrétien de cette problématique.

D'autres exemples pourtant corroborent ce propos. Regardons *les Liens du sang*. Muriel a une liaison avec son cousin Andrew. Mais l'adolescente rompt, comprenant que leurs « liens du sang » les condamnent à un amour sans procréation. Ce n'est pas un hasard si Muriel lit la Bible tandis qu'elle vit sa première épreuve sentimentale : une telle liaison est non seulement dangereuse médicalement, mais impie. Dans le film suivant, *Violette Nozière,* l'héroïne est profondément choquée d'apprendre que Baptiste n'est pas son vrai père. S'ensuivront toutes sortes de névroses, jusqu'à la folie meurtrière. Exemple révélateur, Jean, son gigolo, observe que Violette ne jouit pas. « Toutes ces cochonneries que j'ai vu faire par mon père et ma mère, confie-t-elle, ça m'a coupé le goût du plaisir ». Certes, l'exiguïté de l'appartement astreint Violette à entendre toujours, à voir parfois, les ébats érotiques de ses parents. Mais il y a une autre raison.

Baptiste « prend ses précautions ». Et Violette reproche à celui qui n'est pas son père de continuer à refuser sa fonction procréatrice. Symptomatiquement, elle l'accusera, non seulement de l'avoir forcée à l'inceste mais encore d'utiliser le chiffon qui servait lors de ses ébats avec son épouse. Ainsi, pour Violette, tout ce qui touche à l'amour, s'il n'est pas « grand » (sous entendu : s'il n'implique pas la procréation) est synonyme de dégoût. L'adolescente châtiera ses parents qui ont « fauté », et voudra d'une certaine façon les racheter : Chabrol, par une voix off qui semble la sienne, rappelle dans le dernier plan du film, que Violette sera la mère de cinq enfants.

Sans appuyer la relation entre le mal et l'absence de procréation, beaucoup de films n'en constatent pas moins une sorte de coïncidence. Comme si la stérilité, volontaire, subie ou provisoire, augmentait la propension du mal. Comme par hasard, le couple Hartmann n'a pas d'enfants ; et c'est peut-être sa première faille (*l'Œil du malin*). Au boucher qui lui demande pourquoi elle reste célibataire, l'institutrice répond, comme argument supplémentaire, que ne pas avoir d'enfants ne lui manque pas, que ceux de l'école « sont un peu les siens » (*le Boucher*). Le mari-goujat de *Docteur Popaul* n'envisage pas un seul instant de fonder une famille avec son épouse Christine. Et, s'il fait un enfant à sa maîtresse, c'est uniquement pour la retenir. On peut imaginer la rancœur de sa femme légitime, privée d'une maternité au profit d'une autre.

Dans le film qui porte son nom, un fait éclaire la psychologie de l'inspecteur Lavardin, son agressivité permanente de flic. L'homme traîne derrière lui son échec amoureux avec Hélène dont il n'a pas eu d'enfant. Une ironie amère veut que la fille de cette femme (car elle, a réussi à être mère), Véronique, a le prénom que Lavardin aurait voulu donner à sa fille. Aussi, l'identifiant à sa propre progéniture, l'inspecteur tente-t-il de sauver l'adolescente du mauvais pas où elle s'est fourvoyée. Mais Lavardin est bien maladroit dans son geste : une manière de dire qu'il est trop tard, qu'il n'arrivera jamais à effacer son échec, sa non-paternité.

Ici, la « négation » est simplement définitive.

Un mal définitif

Comme Lavardin, comme les personnages de Lang, beaucoup de personnages chabroliens sont soumis à une lourde fatalité. Suite à une « faute » originelle, ils sont pris dans des engrenages auxquels ils ne peuvent échapper.

C'est bien ce qui arrive à Paul Thomas, dans *la Rupture*. Chabrol montre précisément le moment où il se « vend » à Régnier. Autrement dit, la faute à partir de laquelle commencent ses mésaventures : lors de son entretien avec Régnier, il accepte prématurément un whisky. La faute commise, Chabrol ne s'intéresse plus qu'à l'escalade de ses conséquences (qui se soldera par un meurtre) [1].

Thomas est pris dans un piège qui le dépasse. Dans un embouteillage, il a à peine le temps de jeter un regard de compassion à l'une de ses victimes : des coups de klaxon le ramènent aussitôt à son enfer. Connaît-on plus belle figure langienne qu'un homme ainsi tiré vers un destin dont il ne peut infléchir le sens ?

Juste avant la nuit (qui d'ailleurs succède à *la Rupture*)

---

1. Thomas est également concerné par la négation des « sans enfants ». Il noue avec sa compagne (Catherine Rouvel) des liens essentiellement érotiques qui à la fin l'ennuient copieusement.

reprend cet itinéraire morbide. Une fois la faute commise, celle d'avoir pris pour maîtresse Laura, l'épouse de son ami, Masson sombre lentement dans l'enfer sans, à aucun moment, pouvoir renverser le mouvement. L'époux infidèle est tombé dans un piège. A sa femme Hélène, il confie avoir joué avec Laura « une sorte de théâtre insensé ». Mais cela n'améliore pas pour autant sa connaissance de lui-même, ou d'autrui : assassin de sa maîtresse, il n'analyse pas ce que représente pour son ami François la disparition de Laura. Celui-ci dit pourtant à Masson que sans enfants leur couple n'avait pas de vie de famille — François porte en lui la « négation des sans enfants ». Sa maison qu'en tant qu'architecte, il a certainement dessinée, ressemble étrangement à une prison d'où la défunte se serait échappée. C'est donc moins le décès de son épouse qui peine François, que le sentiment aigu d'un ratage complet. Or, Masson reste persuadé du contraire.

L'autre

Le contact de l'autre serait plutôt un facteur de désagrément, de trouble, voire de danger. D'une manière générale, l'autre entretient plus l'être dans sa névrose qu'il ne l'en libère. Dès *le Beau Serge,* chacun, Serge comme François, étant prisonnier de sa propre fêlure psychique, tend à porter un regard déformant sur l'autre, et à se protéger soi-même par des masques affinés au fil des jours. Les scénarios à deux personnages principaux, et pas seulement les « Charles et Paul », suivent ce schéma [1].

Frappantes sont par exemple les relations entre les deux héros des *Fantômes du chapelier.* Cabotin, Labbé ne pouvait rêver mieux qu'un Kachoudas, spectateur-né. Une fois celui-ci au fait des crimes du chapelier (et qu'en retour lui sait que le tailleur sait), Labbé propose comme un spectacle ses pérégrinations nocturnes. Indirectement, Kachoudas encourage la folie meurtrière de Labbé pour qui le tailleur est devenu indispensable. Kachoudas malade, Labbé cherche des suppléants. Jeantet, le petit journaliste talentueux qui enquête sur ses crimes, l'intéresse. Mais quand ce jeune Rouletabille disserte sur l'invisibilité de la folie du criminel,

---

1. Cf. « Le décor chabrolien ».

Labbé renonce. Le chapelier fait aussi une tentative du côté du commissaire Pigeac, mais lui ne comprend rien au spectacle [1]...

Labbé, face à lui-même, sans Kachoudas, découvre la signification réelle de ses crimes, qu'alors il ne supporte plus. Son désarroi final, conséquence de sa solitude, est néanmoins le garant d'un début de lucidité retrouvée — ce qui n'implique pas la fin de ses maux.

Le contact du conjoint semble tout aussi néfaste. La « conjugalité » serait une cause de trouble chez le protagoniste chabrolien. Dans *A double tour,* Henri, l'époux de Thérèse, souffre d'inhibitions multiples. Ce n'est pas un père, encore moins un mari, et probablement un amant malheureux. Chez Léda, sa maîtresse, il éprouve du remords, court rejoindre les siens ; arrivé parmi eux, un seul désir l'anime : retrouver Léda. Inutile de rappeler tous les échecs conjugaux qui émaillent la filmographie. Mais alors, n'est-ce pas paradoxal que Chabrol donne une image si négative du couple autour duquel gravite pourtant toute son œuvre ?

On ne sait rien des raisons qui ont conduit à l'échec du couple que Lavardin formait avec Hélène Manguin : peut-être ni l'un ni l'autre n'étaient-ils prêts à vivre une vie commune (*Inspecteur Lavardin*). Si pour ce film la question reste sans réponse, *la Femme infidèle,* à travers le personnage d'Hélène Desvallées, est déjà plus riche d'explications. Cette Hélène-là finit par délaisser la chair au profit de l'âme, l'amour passager pour l'amour conjugal, l'éphémère pour le durable. Loin d'avoir ouvert une telle voie, la vie de couple aurait plutôt retardé ce bouleversement intime dont la mort d'un être, l'amant, aura été le catalyseur [2]. Mais l'irréparable eût, qui sait, pu être évité si Hélène s'était mieux connue avant de se marier. L'épouse infidèle dit, justement à l'amant, son bonheur de mère et sa reconnaissance envers son mari d'être (au moins) un bon père ; mais il faut précisément, pour qu'elle s'en convainque, la mort de son interlocuteur.

Après son parricide, Violette dit « avoir voulu en finir avec ce passé trouble » (Baptiste, rappelons-le, n'est pas son vrai

---

1. En présence du policier, Labbé dit craindre le pire pour la bonne (qu'il a étranglée), tout en se regardant dans la glace. C'est comme s'il se désignait comme coupable. Mais Pigeac ne relève pas.
2. *La Femme infidèle,* Cf. « L'être ou le paraître ».

père, et il refuse, de surcroît, de procréer). L'adolescente a puisé dans la violence démesurée, radicale, le moyen de se découvrir un désir de couple et de mère (que n'avait pas pleinement Hélène Desvallées). Que Chabrol peigne des personnages aussi déterminés que Violette ou Charles Desvallées, lesquels, l'un comme l'autre, n'hésitent pas à tuer pour (re)souder (plus tard) une vie à deux, montre bien la force des liens qu'il assigne au couple.

La connaissance de soi

« L'enfer, c'est les autres », parce que chacun rechigne à se connaître. Ce message est particulièrement explicite dans *Alice ou la dernière fugue*. Au téléphone, Alice demande à l'interlocuteur de décliner son identité avant de s'apercevoir qu'elle se parle à elle-même. Alice demande donc qui elle est. A un autre moment du film, un jeune homme, faussement candide, refuse de répondre aux questions angoissées de l'héroïne, qui comprend alors que son salut viendra d'elle seule. Tant qu'Alice ne se connaîtra pas, tous les phénomènes troublants qu'elle rencontre resteront (pour elle) sans signification. Pourtant, une telle méconnaissance ne constitue pas une « faute » définitive (ou langienne). Ainsi, Alice n'échoue-t-elle pas à l'épreuve du disque rayé, symbole du temps suspendu : la jeune femme pousse tranquillement le bras de la platine. La musique retrouve son cours harmonieux. Et le temps, son déroulement normal.

Le but de ces épreuves est donc de rendre à Alice sa propre identité, sans doute perdue lors de la première existence avec son ami, celui qui préfère la télévision. Le temps retrouvé, l'espace réorienté, signifient moins le recouvrement d'une vie normale qu'une meilleure conscience de soi. Ces composantes n'ont de sens que si l'être vit en plénitude avec lui-même. L'environnement ne « fait » pas l'être, c'est l'être qui suscite son environnement. C'est bien l'erreur de Charles Masson (*Juste avant la nuit*) de n'avoir pas compris cela —lui attend bien trop de son entourage. Alice, elle, sait distinguer l'essence, ce qui est en soi, de l'existence, ce qui est autour de soi. Comme dans tous les films de Fritz Lang à qui Chabrol dédie son film, c'est l'essence qui précède l'existence.

« J'ai toujours été sensible au fait que les gens admettent

rarement de se reconnaître tels qu'ils sont. A partir du moment où ils refusent d'être ce qu'ils sont, ils veulent devenir quelqu'un d'autre, et ça les entraîne à la folie. Et je crois que le mal est là. Disons que l'éthique humaine consiste à savoir ce que l'on est. » [1]

Parmi tant d'autres protagonistes chabroliens, ces mots pourraient s'adresser à Charles Masson. Lui ne peut aimer les autres, et encore moins recevoir leur amour, car il ne supporte pas ce qu'il pressent être. Masson voudrait « devenir quelqu'un d'autre », un être irréprochable, à ses yeux et surtout à ceux des autres. Or, justement, il faut, ajoute Chabrol, savoir vivre avec ses faiblesses d'homme. Masson refuse de se regarder tel qu'il est. C'est pour cette raison qu'il mourra. Alors que sa femme Hélène, en acceptant sa nature profonde (découverte grâce à l'épreuve de son mari, et cristallisée par l'épilogue du film), restera en vie.

Vivre avec ses faiblesses, c'est le message adressé par François (toujours dans *Juste avant la nuit*). Lui et Masson mar-

Cinémathèque française

Charles/Bouquet voudrait devenir « quelqu'un d'autre ». *Juste avant la nuit.*

1. Interview, *Télérama* n° 635.

chent dans l'obscurité. Ce dernier parvient à avouer le meurtre de Laura, mais François ne réagit pas à cet aveu. Pris au dépourvu par cette absence de réaction, Masson s'arrête, excédé. Serein, François conseille à son compagnon de continuer à marcher. C'est-à-dire : continuer à vivre, avec les autres et en accord avec soi-même.

L'important est que la vie continue, dit Chabrol. L'image d'une fontaine au débit généreux ouvrait *le Beau Serge,* donc l'œuvre entière.

Chapitre II :

L'AUTEUR
Sa signature.

LE DÉCOR CHABROLIEN

« La politique des auteurs »

Comme la plupart des cinéastes de la Nouvelle Vague, la critique, pour Chabrol, constitue davantage une manière d'aborder la mise en scène qu'une fin en soi. C'est peut-être, en dernier lieu, à cela qu'il faut attribuer la pertinence de cette critique : le jugement, concret, de cinéastes (certains ont déjà quelques courts métrages à leur actif) sur des œuvres qu'ils auraient rêvé de signer, ou des films, qu'à tort ou à raison, ils auraient tourné « autrement ».

Avec ses amis cinéphiles, les Godard, Rohmer, Rivette et Truffaut, et sous la direction d'André Bazin (qui ne sera pas tenté de passer derrière la caméra), Chabrol collabore aux *Cahiers du cinéma* quand ils lancent le concept de « politique des auteurs ». Chabrol s'intéresse tout particulièrement à Hitchcock qui à l'époque n'est pas encore reconnu comme un cinéaste de premier plan. Lui et Rohmer, avec qui il écrit un ouvrage sur le maître du suspense [1], voient dans l'auteur de *Psychose* un moraliste fortement influencé par une métaphysique chrétienne. L'essai fait grand bruit. On ne soupçonnait pas qu'un polar pût servir une morale. C'est pourtant cette certitude qui préside à (presque) toute l'œuvre chabrolienne.

Il faut restituer la « politique des auteurs » dans le contexte des années cinquante pour en comprendre le caractère novateur. Avant la Nouvelle Vague, le cinéma hexagonal somnole sur ses acquis de l'avant-guerre. Ce qu'il avait de moderne, avec, et surtout, Renoir, se perd dans la convention. Des scénarios mille fois répétés, des jeux d'acteurs à l'étroit dans des rôles trop typés, réduisent la « Qualité Française » (c'est le nom qu'on donne au style qui domine alors) à une recette passablement éculée ; d'autant que, désormais, la mise en scène tend à briller par son absence.

---

1. *Hitchcock,* Eric Rohmer, Claude Chabrol. Editions d'aujourd'hui.

Mais pour la Nouvelle Vague, si ce cinéma « conventionnel » a échoué, c'est d'abord parce qu'il n'a pas su s'affranchir d'une division du travail particulièrement rigide. Un projet « Qualité Française » repose sur la complicité d'un producteur et d'un scénariste qui « dans un second temps », après avoir défini grosso modo la distribution d'acteurs, convoquent un metteur en scène pour le réaliser. Les rédacteurs des *Cahiers* remettent en cause cet ordre qui d'ailleurs se sclérose de lui-même. Outre qu'il fasse toujours appel aux mêmes (producteurs, scénaristes, acteurs et metteurs en scène confondus), le partage des tâches lamine toute initiative personnelle et aboutit à des œuvres sans relief. Avec la Nouvelle Vague, scénariste, réalisateur, et parfois producteur, deviennent une seule personne : « l'auteur ». Les mots ont valeur de symbole : le « metteur en scène » devient « cinéaste » ; l'artisan, artiste. « *Tout ce qu'il faut savoir pour mettre en scène s'apprend en quatre heures* », déclare Chabrol à Truffaut au moment du *Beau Serge*[1]. Le reste est affaire de passion sinon de génie. Pour la Nouvelle Vague, c'est certain, on apprend plus le cinéma en regardant des films, en l'occurrence à la Cinémathèque de la rue d'Ulm, qu'en allant porter des sandwichs au réalisateur.

Ainsi, n'ayant pas même un court métrage à son actif, s'étant refusé à l'assistanat, Chabrol, encore jeune homme (il a à peine une trentaine d'années), se permet de tourner un premier film, et un long métrage. La Nouvelle Vague investit le cinéma par la grande porte.

Pour autant, cette légendaire Nouvelle Vague est-elle une révolution, comme on l'a sans doute trop écrit ? Marque-t-elle une rupture avec un passé cinématographique dont les jeunes loups, des *Cahiers* pour la plupart, auraient fait table rase ? Certes, un Godard ou un Rivette emploient une forme résolument nouvelle. Certes chez Truffaut ou Rohmer, le récit se colore d'une tonalité plus littéraire. Certes, le cinéma se veut « une affaire de morale » (pour paraphraser un leitmotiv devenu célèbre), et non plus un simple moyen, technique jusque dans la vulgarité, de raconter des histoires, plaisantes mais fades, drôles mais rassurantes, tragiques mais larmoyantes. Le discours tenu par la Nouvelle Vague, lui, ne rassure pas. La drôlerie, s'il y a, est plutôt acide —Chabrol excelle dans le genre. Quant au drame, il n'a, jamais, rien

---

1. Interview, *Arts* n° 658, 19 février 1958.

de complaisant.

En fait, la rupture n'est brutale qu'avec les travers de la « Qualité Française ». Modernité, littérature et morale étaient déjà solidement en place dans l'œuvre des Renoir, Bresson, Guitry et, à un degré moindre, Becker. Le Chabrol de la Nouvelle Vague n'échappe évidemment pas à cette heureuse influence. En même temps, par une gouaille sans cesse renouvelée, par la loufoquerie de ses personnages, il s'inscrit sans doute plus que les autres dans une verve typiquement française, plutôt comique et vaguement anarchisante. L'auteur des *Bonnes Femmes,* qui, pour ce film, n'hésite pas à engager un Pierre Bertin, acteur « Qualité Française » par excellence [1], doit, qui sait, les premiers désaveux du public (et de la critique) à cette conjonction du moderne et de l'ancien, une sorte de liaison jugée, à tort, contre-nature.

« La honte de la famille »

La singularité de Chabrol au sein même de la Nouvelle Vague ne s'arrête pas là. Un pragmatisme, parfois grinçant, conduit le cinéaste à évoquer des questions financières dont le mouvement voudrait se désintéresser. La Nouvelle Vague, à l'exception de Truffaut, est assez indifférente à la « commercialité » d'un film. Ainsi Chabrol répète-t-il à l'envi qu'il a pu tourner son premier film, *le Beau Serge,* parce qu'il avait trouvé l'argent, « le pognon », sans frapper aux portes des circuits traditionnels qui de toutes façons ne les lui auraient pas ouvertes. L'un des secrets de la Nouvelle Vague, selon lui, c'est cette aisance matérielle que beaucoup d'aînés ont cherché en vain. *Le Beau Serge* doit son existence au fait que Chabrol, encore critique mais enrichi d'un héritage familial, est son propre producteur. Pour l'auteur, inutile d'aller chercher plus loin.

Chabrol, il est vrai, se voit contraint d'affronter les problèmes « matériels » quand à partir des *Bonnes Femmes* il s'enfonce doucement dans l'insuccès. Il lui faut alors accepter des concessions, forçant ici la note humoristique, adoucissant là le propos.

---

1. On pourrait aussi bien citer Jean Tissier pour *les Godelureaux* (même si l'acteur joue un rôle mineur), ou, plus tard, Noël Rocquevert pour *la Ligne de démarcation.*

La filière « espionnage », dans laquelle il s'engage un peu malgré lui, singularise encore plus son statut, et le fait accuser de compromission. Il se dira lui-même, a posteriori, « *la honte de la famille* » [1]. Car à l'époque, accepter une commande, ou réaliser un scénario qui n'est pas de soi (a fortiori si celui-ci est « contestable ») est ressenti comme une trahison. Que Chabrol fasse un premier *Tigre* [2] a dû scandaliser les consciences « auteuristes », lesquelles obéissaient encore au seul principe du « on est complètement auteur ou pas du tout ». A la vérité, le cinéaste déplace cette maxime rigide au profit d'une déontologie toute personnelle qui n'a rien à voir avec le laisser-aller.

Contesté en son temps, *les Godelureaux* reflète précisément la morale d'auteur à laquelle Chabrol n'a jamais fait défaut. Le film, selon le cinéaste, parle du « *plaisir qu'éprouvent les gens à vivre leur inutilité et vivre d'inutilités* » [3]. On ajoutera : de la manière la plus édifiante qui soit. Chabrol traite le sujet jusque dans ses aspérités les plus désobligeantes. Cette démarche, entière, isole l'auteur d'un public qui aime à savourer des notes moins noires. Son jusqu'au-boutisme caractérise d'ailleurs le personnage de Ronald, lequel, en refusant la moindre clémence à Arthur, sa victime, éprouvera une profonde solitude lors du départ de celui qui aurait pu devenir son ami [4].

Ronald pêche par esprit de vengeance mais n'est pas dépourvu d'une certaine droiture d'esprit. Ainsi, dénonce-t-il l'hypocrisie d'une société de bienfaisance (dont le président est Jean Tissier !), sans omettre de dire que lui aussi jouit effrontément du mensonge. Ces deux traits de caractère conjugués lui attirent les foudres de son entourage, et renforcent sa solitude. Là encore, Chabrol a assurément quelque chose de la personnalité de Ronald. Comme celui-ci choisit l'habit noir d'instigateur de l'abjection afin de démontrer « concrètement » son existence, le cinéaste ne craint pas de jouer le mauvais goût. Il se moque bien de savoir si ses films

1. Interview, *Cahiers du Cinéma* n° 339, septembre 1982.

2. Il y en aura deux, *Le Tigre aime la chair fraîche* et *Le Tigre se parfume à la dynamite.*

3. Interview, *Cahiers du cinéma* n° 138, décembre 1962.

4. Ronald se venge contre Arthur. Et l'instrument de cette vengeance s'appelle Ambroisine, une femme fatale dont Arthur va tomber amoureux.

Cette danseuse n'est pas du côté de l'art ! *Les Godelureaux.*

font « auteur » ou non, lui importe uniquement qu'au terme de la projection le spectateur ait appris quelque chose. La voilà la motivation première de l'auteur Chabrol : un film doit être « enseignant », dans quelque domaine que ce soit, c'est sa principale, sa seule raison d'être. Précisons qu'« enseignant », chez Chabrol, ne signifie pas didactique ; cet adjectif-là, l'auteur doit le porter en horreur.

Le « on est complètement auteur ou pas du tout », implicitement « on est du côté de l'art ou pas », ne revêt aucun sens pour Chabrol. Toujours dans *les Godelureaux,* Arthur se brouille avec Ambroisine pour, ensuite, consentir à une réconciliation. Cette volte-face, révélatrice du piège se refermant sur Arthur, est indiquée par deux scènes, symétriques en ce qu'elles sont filmées dans un même endroit, un musée. A priori donc, l'art serait bénéfique à ce couple turbulent. La vérité est tout autre. Ambroisine et Arthur ne prêtent, d'une part, aucune attention aux œuvres exposées. Mais surtout, durant cette double pérégrination, ces œuvres n'inspirent aucune pitié à la jeune femme qui est parvenue à reconquérir son amant pour mieux l'emprisonner. Et quant à Arthur, l'art ne semble pas lui procurer la conscience d'être (déjà) une victime.

Pour Chabrol, l'art est impuissant face au chaos, voire inutile, pour la simple raison que les victimes ou les fomentateurs de ce chaos restent indifférents, ou fermés, à cet art. En termes plus « cinématographiques », le cinéaste reproche aux « auteuristes » d'avoir des vélléités d'artiste, de s'enfermer dans l'orthodoxie de la « politique des auteurs », et de ne pas communiquer leur savoir et leur sensibilité.

La déontologie de « l'enseignement » imprègne aussi le cinéaste lorsque celui-ci se juge (à tort ou à raison) en porte-à-faux avec le cinéma. « *Quand on fait un mauvais film,* explique Chabrol, *on doit le savoir. On doit essayer de faire, non pas le meilleur film d'un mauvais truc, mais faire le meilleur mauvais film ; c'est-à-dire le plus enseignant dans le mauvais* » [1]. Engagé dans un projet contestable, Chabrol se fait fort d'« enseigner » la médiocrité au cinéma, et par là-même le caractère douteux de son entreprise de créateur. C'est en cela qu'il estime (cette fois, à raison) continuer à remplir sa mission d'auteur. Cet « enseignement du mauvais » implique alors le devoir de confesser au public (et en public) l'imposture.

Lorsque, dans *Le Tigre aime la chair fraîche,* les agents de la DST reproduisent par bruitages cinématographiques le son d'une torture afin d'impressionner un barbouze qui ne les voit pas, Chabrol désigne métaphoriquement son film comme mensonger. Plus révélateurs sont les deux « films dans le film » de ce *Tigre.* L'un est un documentaire sur les prouesses d'avions de chasse. Voilà l'outil « cinéma » réduit à une fonction peu enviable. L'autre porte sur les escapades gentilles, filmées à l'insu du « Tigre », de celui-ci avec la femme de l'émissaire turc et sa fille — en fait, il est chargé de les protéger. A la projection de ce film de famille, Roger Hanin soupire à juste titre : « En arriver là, quelle déchéance ! » Chabrol, presque masochiste, dénonce ici la médiocrité de son œuvre (d'ailleurs toute relative) que le spectateur « doit » voir.

Désir d'enseigner, besoin de se confesser, l'auteur Chabrol obéit à une morale ouverte, au sens où celle-ci associe le spectateur au jugement de l'œuvre. Cette morale s'exprime également dans la thématique chabrolienne qui aime confronter son public à des problèmes, souvent moraux justement, que

---

1. Interview, *Cahiers du cinéma* n° 339, septembre 1982.

tôt ou tard il lui faut démêler.

Des films comme *les Godelureaux, les Tigres, Folies bour-geoises* ou *Nada,* à l'antipode du cinéma d'auteur au sens classique, « auteuriste », du terme, ont exposé Chabrol à de multiples attaques. La critique s'est alors montrée très sévère pour le cinéaste, et ce n'est qu'assez récemment qu'elle est revenue sur ses jugements pour lui concéder une place à part dans le cinéma d'auteur français, aux côtés, par exemple, de Jean-Pierre Mocky. Depuis (peut-être les *Lavardin*), Chabrol est consacré auteur [1].

A ceux qui lui reprochent ses « faux pas », Chabrol réplique qu'on ne peut être auteur sans faire beaucoup de films, quitte à se tromper parfois. La faute importe peu si elle est corrigée par l'expérience suivante. Là se mesure toute l'origi-nalité chabrolienne. Ailleurs, le « droit à l'erreur » est rare-ment reconnu : toujours cette peur de la compromission et des scénarios « impersonnels », cristallisée par la Nouvelle Vague. Plus tard, Chabrol reprochera à des confrères issus des *Cahiers* de « *ne pas savoir se salir les mains* » ; l'impor-tant, s'empressera-t-il d'ajouter, étant de « *ne pas salir son âme* » [2].

Une scène du *Tigre aime la chair fraîche* en propose encore le symbole : en gros plan, une main se saisit du livre *les Mains sales.* Mais la main est gantée, et protège ainsi d'un contact impur.

Tourner, tourner encore, tourner toujours

La seule « politique » de Chabrol (sur ce point, on pourrait encore le rapprocher de Mocky), c'est de tourner tout ce qui s'offre à lui, jusqu'aux projets les plus fous de produc-teurs en mal d'originalité. Pour Chabrol, c'est en filmant

---

1. La consécration bis (après celle de la Nouvelle Vague) de Chabrol au rang d'auteur à part entière, est tardive. Dans le numéro 323-324 des *Cahiers du cinéma* de mai 1981, le cinéaste est encore un auteur « intermédiaire », placé entre les grands, Godard, Rohmer, Rivette, Truffaut..., et les filmeurs d'importance moindre. Comme par hasard, Chabrol, dans ce numéro spécial sur le cinéma français, est associé à Mocky, lui aussi devenu auteur sur le tard !
2. L'expression est extraite d'un interview pour *Cinématographe* (n° 81, septembre 1982). Mais, dans *les Cahiers du cinéma* (n° 339, septembre 1982), Chabrol répond un peu sèchement à ses intervieweurs qui rappel-lent le caractère inégal de sa filmographie.

qu'on devient, vraiment, cinéaste.

Mais peut-on, dans une œuvre « irrégulière », imposer une vision du monde ? Oui, pense Chabrol, et l'irrégularité elle-même devient un test de qualité, si malgré elle, s'impose cette vision. Plus encore : la crédibilité d'une œuvre sera d'autant plus grande que l'auteur fait appel à des sujets anodins.

Cette thèse, à laquelle Chabrol est demeuré fidèle (l'auteur aime les intrigues un peu éculées, les vaudevilles stéréotypés), est formulée dans un article, « Les petits sujets »[1], qu'il écrivit au tout début de sa carrière.

« A mon avis, il n'y a pas de grands ou de petits sujets, parce que plus le sujet est petit, plus on peut le traiter avec grandeur. En vérité, il n'y a que la vérité » : telle était la conclusion de ce texte. Ce n'est pas le sujet qui « singularise » le cinéaste, mais la manière dont il le traite. Cette manière est le seul critère pour juger de la qualité d'un film, le seul gage de son authenticité.

Chabrol met en place son « décor ». Tournage du *Poulet au vinaigre*.

Collection Abbas Fahdel

---

1. *Cahiers du cinéma* n° 100, octobre 1959.

Nécessité fait loi

Chabrol sait aussi que le public attend de lui une « histoire » : « *J'ai une série de succès de suite, et de non bides, et je sais que c'est uniquement parce qu'il s'agissait d'histoires qui intéressaient les gens, volontairement* [1]. »

Il est arrivé à Chabrol d'oublier cette nécessité de la fiction, comme dans *le Cheval d'orgueil*. S'inspirant du livre de Pierre-Jakez Héliaz dont les souvenirs d'enfance ne sont pas régis par une trame romanesque, Chabrol sombre dans les brumes métaphysiques. Le cinéaste tente bien de « lier » son film par une voix off qui soude un tant soit peu les épisodes, les souvenirs de l'enfant Pierre-Jakez ; mais il ne parvient pas à créer une véritable dynamique romanesque.

Afin d'affermir ses « histoires », de les rendre plus crédibles encore, Chabrol, très vite, s'est donné ce qu'on pourrait appeler un univers fictionnel : un décor que le spectateur se plaît à retrouver à chaque nouveau film, habité par des personnages concrets, aux prises avec des événements qui bouleversent leurs vies. Ce n'est donc pas le discours, comme chez Godard, qui anime les personnages, mais les personnages qui animent le discours. En cela, Chabrol — on le voit encore dans son dernier film à ce jour, *Une affaire de femmes* — est plus proche que ses compagnons de la Nouvelle Vague d'un cinéma américain qu'ils s'accordaient d'ailleurs à admirer.

Hélène, Charles et Paul

Chabrol peint les années soixante à travers trois prénoms, reconductibles de film en film : Hélène, Charles et Paul. La première Hélène remonte à *l'Œil du malin*. Elle se laisse désirer, et trompe son mari. Ambiguë, silencieuse, elle dévoile peu ses secrets. Sa personnalité mystérieuse culmine avec la période « pompidolienne » [2] où l'entourage masculin se perd en conjectures sur cette femme impénétrable qu'il convoite, déteste, ou aime à la folie. Le spectateur est tout

---

1. *Cahiers du cinéma* n° 339, septembre 1982.
2. Cette période couvre approximativement la présidence de Georges Pompidou, et présente un reflet intéressant de la société de cette époque. On peut citer *les Biches, la Femme infidèle, Que la bête meure, le Boucher, la Rupture, Juste avant la nuit, Docteur Popaul* et *les Noces rouges*.

crime et la mort

t le récit chabrolien a une odeur de crime, passé ou
r. Car le crime est l'issue inévitable du scénario... et du
at. Voyez la mort de Charles/Blain dans *les Cousins*.
/Brialy, le meurtrier, tire avec un revolver qu'il croyait
re pas chargé. Pourtant, la conclusion sanglante était
ntournable. L'un des deux cousins « devait » mourir.
film de Chabrol « doit » se terminer dans le sang (*le Cri
ibou*). D'où l'extrême tension de *Que la bête meure* dans
el le crime, justement, tarde. Alors qu'il faut, absolu-
t, « que la bête meure ». Le fait que le crime, finale-
t, ait lieu hors champ, provoque d'ailleurs une énorme
tration [1].

tes, le crime chabrolien a souvent ses raisons, et des
iles clairs : l'intérêt matériel (*le Scandale*), la notabilité
Fantômes du chapelier), le sentiment ou la passion (*Juste
t la nuit, le Boucher* ou encore *les Fantômes*). Mais
brol l'entoure toujours d'une connotation étrange. Le
i de *la Femme infidèle* tue l'amant par jalousie, mais le
rtre garde une épaisseur de mystère. Car c'est trop peu
ce mot « de trop » de la victime [2], qui déclenche le geste
'assassin. Sans ce « hasard », l'époux trompé aurait-il
? La folle détermination avec laquelle les amants des
s rouges se débarrassent du mari qui les gêne dépasse
e attente du spectateur (qui pourtant désire aussi cette
t), et le laisse mal à l'aise.

ime la mauvaise « bouffe », les meurtres banals trahis-
, chez Chabrol, des œuvres secondaires. Le « Tigre » et
acolytes tuent des barbouzes comme des mouches (*Le
e aime la chair fraîche*). Le bain de sang qui conclue
a, pour être mélodramatique, n'en est pas moins déri-
. On ne saurait mourir simplement dans un film de
rol. La peinture du trépas doit toujours combiner fasci-
n, ironie et drame. Léda est étranglée tandis que son
rtrier improvise un pas de deux (*À double tour*). La
de Jacqueline, sans doute une des plus étonnantes de
lmographie, se perd dans l'indifférence muette d'une
re virginale (*les Bonnes Femmes*). Chabrol aime les décès

Le Cinéma en question, Jean Collet. Editions du Cerf.
mant, je crois, dit à Desvallées, blanc comme un linge, qu'il a
sale gueule ».

aussi perdu (éperdu) que ces hommes qui gravitent autour
d'elle, et le mystère est d'autant plus profond qu'Hélène est
presque toujours incarnée par Stéphane Audran dont il faut
dire ici l'immense qualité de comédienne. Son jeu, retenu
mais sensible, excelle à nourrir l'interrogation.

« En face », il y a Charles et Paul. Eux ont des personnalités
plus définies [1]. Le premier est victime, ou au mieux subit les
choses. Le second est actif, et s'emploie à dominer son alter
ego. On trouve le premier duo dans *les Cousins* ; mais Serge
et François, dans *le Beau Serge*, auraient pu s'appeler Charles
et Paul tant ils correspondent à leurs caractères respectifs.
On le retrouvera encore, ce duo, après la période « pompidolienne », par exemple avec Labbé et Kachoudas (*les Fantômes du chapelier*), à cette variante près que l'un des deux,
Labbé, a une importance fictionnelle prépondérante.

Toutefois, après *les Noces rouges* (où Charles a déjà disparu,
remplacé par un Pierre autrement plus actif) Chabrol abandonne ses trois prénoms, estimant avoir « *traité le sujet* » [2] ;
même si, au-delà de quelques scénarios à deux personnages
masculins, reviennent çà et là des réminiscences : ainsi, les
Hélènes du *Sang des autres* et d'*Inspecteur Lavardin*. Quoi
qu'il en soit, un tel abandon, quasi officiel, laisse deviner
chez Chabrol cette méfiance farouche face à tout ce qui
pourrait faire trop « œuvre », ordonnée ou calculée.

Le bien-manger

Le public déguste les films de Chabrol comme des plats
délicieux que l'auteur aurait mijotés à son intention. Le
lancement publicitaire de *Poulet au vinaigre* qui par son titre
est déjà un film-recette, et met l'eau à la bouche, relance
le motif « culinaire » volontiers associé à l'œuvre. Attentif
au plaisir des sens, Chabrol surveille nos papilles en remuant
délicatement le contenu d'une marmite.

L'art de la table constitue indéniablement un des premiers
rendez-vous chabroliens. Dans *les Cousins,* Florence, Paul/
Brialy et Charles/Blain vivent en état de grâce en savourant
des tomates à la provençale. Le petit-déjeuner plantureux,

---

1. Charles et Paul, par contre, ont été interprétés par des comédiens
fort différents : Gérard Blain, Jean-Claude Brialy, Jean Yanne, Michel
Duchaussoy, Michel Bouquet...
2. Interview, *Cinématographe* n° 81, septembre 1982.

pris par Lazlo dans *A double tour*, est un hymne aux joies du « bien-manger ». Paul Decourt (*Que la bête meure*) fait aussi figure de bon vivant parmi les siens, et pique une colère contre sa femme qui n'a pas su réduire la sauce d'un ragoût. Le personnage chabrolien est un spécialiste de la « bouffe » et des bons vins : impossible de le duper. D'ailleurs, on ne trompe personne avec la cuisine : c'est le seul art qui ne mente pas, affirme Decourt — on retrouve ici la méfiance de Chabrol à l'égard de l'« art », évoquée précédemment. Philippe, dans *Une partie de plaisir*, initie avec amour sa femme, encore profane. Lorsque le protagoniste chabrolien se sent des lacunes en la matière, il s'en remet à des spécialistes. Legagneur (*Masques*) fait appel à Max pour ses petits plats, et à Manu pour ses vins, et leur cérémonial.

Dans un film « mineur », le spectateur reste doublement sur sa faim. On y mange mal, ou peu. C'est un signe qui ne trompe pas ! Des convives, dans *Marie-Chantal contre docteur Kha*, ne savent pas ce qu'ils dégustent. Le « Tigre » et ses collègues doivent se contenter de sandwichs (*Le Tigre aime la chair fraîche*) ! Sylvia ne partage pas le goût de Sadry, son époux, pour les plats orientaux (*les Magiciens*). Chez Chabrol, on mange en toutes circonstances, même si le cœur n'y est pas. Labbé, des *Fantômes du chapelier*, mange « malgré tout ». Et Thénier, après la disparition de Decourt à laquelle il n'est peut-être pas étranger, fait tout de même honneur à un canard (*Que la bête meure*).

Ceci dit, de même qu'il n'y a pas chez Chabrol de « petits » sujets, il n'y a pas non plus de « petits » plats : voir sur ce point la théorie de l'œuf sur le plat selon Lavardin (pas trop cuit sur les bords, un peu de paprika...).

L'horreur et l'innocence : la province, la bourgeoisie, l'argent et le vaudeville

Il y a une atmosphère « Chabrol », un climat d'étrangeté que soutient volontiers une ambiance sonore inquiétante, aux couleurs de musique contemporaine. La tension qui règne dans *le Boucher* doit beaucoup au travail de Pierre Jansen [1]. Ce film est d'ailleurs caractéristique du décor cha-

brolien dont l'image rassurante (le village sans hist[oire] très vite déchirée par le mal qu'elle couve. L'[...] contraste est typiquement chabrolienne. Ainsi, l[...] des *Noces rouges* se rencontrent lors d'une distrib[ution] prix, à l'école : l'horreur, manifeste ou latente, p[...] à venir, côtoie toujours l'innocence. Et la noirce[ur chabro]lienne est d'autant plus profonde qu'elle émane d'u[n...] apparent, et d'une vie simple et tranquille.

Calme et sereine de réputation, mais couvant d'i[...] secrets, la province est le cadre par excellence [...] chabrolien. Loin d'une capitale qui étouffe les con[...] les antagonismes, la province les exacerbe, les [...] Plus qu'ailleurs, la bourgeoisie y règne, et protè[...] ment ses avantages, sa respectabilité. Les notabl[es, *Fan*]*tômes du chapelier* vivent en constante représent[ation...] vie est balisée par des rites obligés (les cartes, [la] messe, la promenade) que dissèque le regard aigu[...] et ironique de Chabrol.

L'argent a son mot à dire. Mais les intérêts [...] mots couverts (sauf peut-être dans *la Rupture* [... *le*] *Scandale* : dans les deux cas il est ouvertement [...] « fric »). Paul/Piéplu, des *Noces rouges*, décla[re...] ment « faire quelque chose de très bien pour l[...] de justifier son projet d'escroquerie immobili[ère...] dans *Poulet au vinaigre*, une affaire sordide de [...] immobilière. Ou·encore, dans *Inspecteur Lavar*[din...] toire douteuse d'héritage qui pourrit un peu pl[us...] tieux familial. Rien à faire : l'argent, bien qu'[...] absent, est toujours « là », comme le non-dit [...] toute fiction.

Chabrol, enfin, aime le vaudeville. *Les Cousi*[ns...] l'histoire d'un ménage à trois (deux hommes [...] une femme), dont *les Biches*, plus tard, inve[rse...] (deux femmes, un homme). *A double tour*, c'e[st...] adultère. *Landru* revient à une « suite » de mi[...] Par son seul titre, *la Femme infidèle* soulign[e...] au genre, dont relève encore (mais cette fois [...] qui trompe) *Juste avant la nuit*. *Une partie de* [*plaisir* inter]roge sur les conséquences d'un manquement [...] vaudeville, puisqu'Esther et Philippe s'avouen[t...] leur infidélité. Il y aurait d'autres exemples.

---

1. Il est le compositeur de presque tous les films de Chabrol, exceptés les derniers dans lesquels Matthieu, le fils du cinéaste, assure une illustration musicale aux sonorités plus classiques mais tout aussi inquiétantes.

drolatiques. Lorsque Paul/Piéplu reconnaît son futur assassin (Pierre) sur le bas-côté de la route, sa torpeur est presque comique (*les Noces rouges*). La fin grotesque de Raoul Mons (dans des grognements animaux) est plus abjecte encore que le personnage (*Inspecteur Lavardin*). Si la mort est le point culminant d'un film de Chabrol, elle ne marque pas systématiquement le début ou la conclusion d'une intrigue ; omniprésente, elle est comme un lieu menaçant que « doivent », à un moment ou l'autre, côtoyer les personnages, et avec laquelle, tôt ou tard, ils ont rendez-vous. Le spectateur, lui, n'a qu'à attendre ce passage obligé, crucial.

Hitchcock

Tension, ironie noire, crime, toutes ces figures nous rapprochent singulièrement d'Hitchcock. Chabrol ne cherche d'ailleurs guère à dissimuler l'influence du maître anglais. Il y fait même très ouvertement allusion. Par exemple dans la façon dont il dilate les séquences à suspense. Dans *la Femme infidèle*, Desvallées se débarrasse difficilement du cadavre de l'amant. Un accident de voiture retarde dangereusement l'enfouissement du corps. On veut regarder le coffre où se trouve la victime. Celle-ci n'est pas immergée immédiatement dans l'eau de la mare [1]... Toujours dans ce film, il y a ces regards « neutres » mais insupportablement insistants des deux policiers (que l'on retrouve encore dans *les Innocents aux mains sales*), si typiques dans le cinéma d'Hitchcock. La militaire nazie dévisage de la même façon Jodie Foster dans *le Sang des autres*, et dans *Masques*, le jeu de Colette évoque irrésistiblement celui d'une autre « gouvernante », celle de *Rebecca*. Dans *les Fantômes du chapelier*, le mannequin de madame Labbé est un joli clin d'œil à *Psycho*. Dans *le Cri du hibou*, la baie vitrée qui offre à Robert le spectacle de la vie de Juliette, reproduit le modèle de *Fenêtre sur cour*, où James Stewart, en reporter bloqué par une convalescence, surveille les activités « suspectes » de ses voisins. Albin, de *l'Œil du malin*, arbore fièrement un appareil-photo dont il fait grand usage, et qui rappelle le télé-objectif du journaliste indiscret dans le même film.

Se construit ainsi, à partir d'Hitchcock, un ensemble de

---

1. Chabrol précise que cet enfouissement tardif était imprévu : faute d'être prémédité, le référent hitchcockien est consenti.

figures légères (qu'on opposera à d'autres, plus « lourdes », qui font parfois l'objet chez Chabrol d'un regard plus critique).

Le respect du « petit sujet »

Le modèle hitchcockien est parfaitement adéquat à la théorie des « petits sujets ». Ainsi *les Cahiers* contemporains de Chabrol journaliste défendent-ils les auteurs hollywoodiens, malgré la pauvreté de leurs scénarios. Pour eux, l'intérêt est évidemment ailleurs. Auteur fétiche du Chabrol critique, Hitchcock, qui élève ses « petits sujets » à la dignité d'un propos singulier, en est le meilleur exemple. En même temps, le cinéaste hollywoodien s'attache à respecter les conventions du genre que ses sujets imposent. C'est justement son respect du polar qui lui vaut le qualificatif de « maître du suspense ». Le même respect caractérise Chabrol. C'est au moins autant par choix que par nécessité financière (comme c'était le cas pour le premier *Tigre*) qu'il poursuit, dans *Marie-Chantal contre docteur Kha,* son exploration du film d'espionnage. Et l'on remarque son souci, dans ce film, de ne pas s'écarter du fil conducteur (Marie-Chantal parviendra-t-elle à éviter que Kha entre en possession du poison ?) au nom d'une prétendue supériorité d'« auteur ».

De même que la fiction est une nécessité pour Chabrol, le « petit sujet » en est la voie royale. C'est en s'en éloignant que le cinéaste a connu ses pires échecs. Dans *la Décade prodigieuse*, les personnages, prisonniers d'une lourde symbolique, ne valent que par ce qu'ils représentent (alors que dans un « bon Chabrol », ils sont d'abord eux-mêmes). Le film paraphrase le texte biblique, du Jardin d'Eden aux Dix Commandements en passant par le Péché Originel. Chabrol y oublie ses principes : l'auteur s'embourbe dans le « grand sujet ».

Le polar : « petit sujet » idéal

Parce qu'il faut une histoire, mais que l'histoire aussi, est subalterne, Chabrol voit dans son cinéma « *le lieu d'une contradiction* [1] ». A ce point, sa réflexion sur les genres est éclairante. Dans un article, « Evolution du film policier » [2],

1. Interview, *Cinématographe* n° 81, septembre 1982.
2. *Cahiers du cinéma* n° 54, noël 1955.

Richard mijote un « petit sujet idéal ». *A double tour.*

Chabrol constatait que la qualité d'œuvres comme *Scarface* (H. Hawks) ne devait pas plus à leur liberté qu'à leur soumission au genre. « *Il n'est pas question dans ces films de rénover un genre en élargissant son cadre ou en l'intellectualisant de quelque façon. Il n'est en fait pas question de rénover quoi que ce soit, mais tout simplement de s'exprimer par le truchement d'une affabulation point trop déroutante* [1] ». A regarder l'œuvre chabrolienne, nourrie de fictions policières, on comprend l'importance de ces quelques phrases. Un polar signé Chabrol ne cherche pas à « élargir » le genre, pas plus qu'il ne « l'intellectualise ».

Qu'on en juge par les synopsis. Paul Wagner est-il coupable des meurtres dont il est à chaque fois le premier témoin (*le Scandale*) ? Charles Desvallées a tenté le crime parfait ; personne, exceptée son épouse, ne devait deviner sa culpabilité (*la Femme infidèle*). Non seulement Théo fait chanter son épouse et son fils, coupables d'adultère, mais il tue sa femme dans le seul but de faire accuser son fils de ce meurtre

---

1. « Evolution du film policier. »

(*la Décade prodigieuse*). Les amants des *Noces rouges* simulent un accident de voiture pour justifier le meurtre du mari gênant. Roland Chevalier veut savoir ce qu'est devenue sa sœur depuis son séjour chez Legagneur et joue les détectives (*Masques*). L'inspecteur soupçonne Robert d'avoir tué Philippe (lequel n'a que disparu), et d'être à l'origine du suicide de Juliette (*le Cri du hibou*).

Très vite pour Chabrol, le polar est devenu le cadre de la fiction. Peut-être parce qu'il servait à la perfection le climat chabrolien. L'horreur qui s'infiltre aux plis de l'innocence, les bourgeois provinciaux figés dans leur apparence et leurs archaïsmes, l'argent à cacher ou à voler, les passions qui bouillonnent sous la notabilité froide, et enfin le crime et la mort ; tous ces thèmes chabroliens trouvent leur écho dans les conventions du genre. Regardons *A double tour*.

Léda ne serait pas morte assassinée si Henri Marcoux, son amant, avait su choisir, plus tôt, entre elle et sa famille, entre la passion et le confort sentimental, entre la bohème et l'existence bourgeoise. Le coupable est évidemment celui ou celle qui supporte le moins la présence de Léda — elle vit à côté de la propriété des Marcoux. Or justement, la haine habitant la plupart des protagonistes, qui peut-il être ? Thérèse, l'épouse d'Henri, a contre elle le mobile de la jalousie. Elisabeth, la fille d'Henri, est déchirée par le manquement de son père à ses devoirs familiaux. Une telle souffrance pourrait lui inspirer un désir de vengeance à l'encontre de l'amante. Finalement, c'est le fils, Richard, le coupable : il n'a pas pardonné à Léda d'avoir révélé la médiocrité de sa famille. En recherchant l'assassin, l'apprenti-commissaire auquel joue Lazlo, ami de la défunte, expose au grand jour toutes les passions dissimulées par l'hypocrisie bourgeoise. Le héros policier devient ainsi l'alter ego du cinéaste ; leurs objectifs se confondent, et le récit trouve alors son unité et sa rondeur, malgré sa banalité vaudevillesque et macabre.

Au surplus, le polar a cette particularité qu'il autorise les outrances, celles justement dont raffole le spectateur chabrolien. A distance raisonnable, et dans le confort des salles obscures, le public jubile à ce vilain déballage. Chabrol, manipulateur, affecte de le rassurer : « Cher public, ces coucheries minables, ces désirs crapuleux, cette rapacité, cet égoïsme, cette hypocrisie ne te concernent pas. Nous sommes, cher citadin, au fond d'une province immonde mais lointaine.

Jouis en paix de son spectacle, de ses tentations extrêmes. Tu ne risques certes pas d'y basculer. »

Le monde de Chabrol ne suscite pas l'identification. Il faudrait parler, plutôt, de projection, et d'une certaine distanciation qui demeure la condition du plaisir du spectateur. L'auteur se réserve d'en faire payer le prix fort. Mais dans un second temps...

L'intrigue

Le film sera d'autant meilleur que l'intrigue sera plus simple ! Chabrol prolonge ainsi sa politique des « petits sujets » en rendant « l'affabulation » moins « déroutante » encore. Dans *Inspecteur Lavardin*, deux scènes de repas, assez statiques, ont pour objet essentiel de renseigner le spectateur sur l'identité et les intérêts des personnages [1]. Celle du pré-générique informe des caractères respectifs des protagonistes. La seconde, en présence de Lavardin qui fait office de spectateur attentif, est l'occasion de découvrir les liens qui unissent Claude, Hélène, Raoul le défunt, l'escroquerie à l'héritage, les « disparitions » de Jeanne et de Pierre, conjoints respectifs de Claude et d'Hélène. Ce genre de scène, *uniquement utilitaire* selon Chabrol [2], permet *d'aller le plus vite possible pour en dire le plus possible* [2]. Le cinéaste doit en passer par elle, *c'est là,* dit-il, *qu'on gagne le spectateur ou pas* [2] ; conscient que celui-ci doit très vite se familiariser avec une intrigue, fût-elle minuscule, avant de se mettre à l'écoute d'un éventuel propos.

Mais même minimale, l'intrigue demeure indispensable. Et pourtant, Chabrol en a parfois « oublié » la nécessité, pour faire le grand saut vers ce qui n'est plus vraiment de l'ordre du polar.

Les Fantômes du chapelier et Inspecteur Lavardin

C'est le cas dans *les Fantômes*, où Chabrol saborde d'entrée tous les ressorts susceptibles de « tenir » le récit. Très vite, on sait que madame Labbé est morte, et qu'elle a été tuée par son mari. En outre, comme Labbé recherche la présence

---

1. Chabrol choisit souvent la convivialité d'une table pour exposer ses intrigues. Dans *Masques,* Legagneur profite d'un repas pour raconter à Wolf (à nous) la mésaventure de sa filleule Catherine.

2. Interview, *Cahiers du cinéma* n° 381, mars 1986.

de Kachoudas pour commettre ses crimes, ce dernier est exactement le contraire du témoin gênant dont la présence, et les tentatives d'élimination, sont un des moteurs classiques du film policier. Chabrol, donc, transgresse son propre principe. Labbé et Kachoudas paraissent s'affranchir du genre ; et l'auteur, « élargir » le polar. Les personnages profitent alors d'une liberté que le genre ne leur donne pas. Du coup, parce qu'il semblait sous-estimer les nécessités dramatiques du polar, on a soupçonné Chabrol de ne « plus croire au cinéma » [1]. Face au public, face à la critique, Chabrol se trouvait comme « sous-protégé », imprudemment défait de cette armure du genre qui maintient le corps droit, et dévie l'attaque personnelle.

Inspecteur Lavardin ne reproduit pas l'erreur tactique des *Fantômes*. Si l'exposition de l'intrigue tient une place minimale, sa résolution occupe pleinement le récit. Chabrol ne dévoile rien avant l'heure. Il laisse en suspens l'explication de la mort de l'écrivain (Mons) que le « flic » ne comprendra que tardivement. La fiction (le polar) y retrouve son compte.

Cinémathèque française

A cause de feu madame Labbé, le chapelier « élargit » le polar. *Les Fantômes du chapelier.*

---

1. « Les désillusions de Chabrol », Serge Toubiana, *Cahiers du cinéma* n° 338, août 1982.

aussi perdu (éperdu) que ces hommes qui gravitent autour d'elle, et le mystère est d'autant plus profond qu'Hélène est presque toujours incarnée par Stéphane Audran dont il faut dire ici l'immense qualité de comédienne. Son jeu, retenu mais sensible, excelle à nourrir l'interrogation.

« En face », il y a Charles et Paul. Eux ont des personnalités plus définies [1]. Le premier est victime, ou au mieux subit les choses. Le second est actif, et s'emploie à dominer son alter ego. On trouve le premier duo dans *les Cousins* ; mais Serge et François, dans *le Beau Serge*, auraient pu s'appeler Charles et Paul tant ils correspondent à leurs caractères respectifs. On le retrouvera encore, ce duo, après la période « pompido-lienne », par exemple avec Labbé et Kachoudas (*les Fan-tômes du chapelier*), à cette variante près que l'un des deux, Labbé, a une importance fictionnelle prépondérante.

Toutefois, après *les Noces rouges* (où Charles a déjà disparu, remplacé par un Pierre autrement plus actif) Chabrol aban-donne ses trois prénoms, estimant avoir « *traité le sujet* » [2] ; même si, au-delà de quelques scénarios à deux personnages masculins, reviennent çà et là des réminiscences : ainsi, les Hélènes du *Sang des autres* et d'*Inspecteur Lavardin*. Quoi qu'il en soit, un tel abandon, quasi officiel, laisse deviner chez Chabrol cette méfiance farouche face à tout ce qui pourrait faire trop « œuvre », ordonnée ou calculée.

Le bien-manger

Le public déguste les films de Chabrol comme des plats délicieux que l'auteur aurait mijotés à son intention. Le lancement publicitaire de *Poulet au vinaigre* qui par son titre est déjà un film-recette, et met l'eau à la bouche, relance le motif « culinaire » volontiers associé à l'œuvre. Attentif au plaisir des sens, Chabrol surveille nos papilles en remuant délicatement le contenu d'une marmite.

L'art de la table constitue indéniablement un des premiers rendez-vous chabroliens. Dans *les Cousins,* Florence, Paul/Brialy et Charles/Blain vivent en état de grâce en savourant des tomates à la provençale. Le petit-déjeuner plantureux,

1. Charles et Paul, par contre, ont été interprétés par des comédiens fort différents : Gérard Blain, Jean-Claude Brialy, Jean Yanne, Michel Duchaussoy, Michel Bouquet...
2. Interview, *Cinématographe* n° 81, septembre 1982.

pris par Lazlo dans *A double tour,* est un hymne aux joies du « bien-manger ». Paul Decourt (*Que la bête meure*) fait aussi figure de bon vivant parmi les siens, et pique une colère contre sa femme qui n'a pas su réduire la sauce d'un ragoût. Le personnage chabrolien est un spécialiste de la « bouffe » et des bons vins : impossible de le duper. D'ailleurs, on ne trompe personne avec la cuisine : c'est le seul art qui ne mente pas, affirme Decourt — on retrouve ici la méfiance de Chabrol à l'égard de l'« art », évoquée précédemment. Philippe, dans *Une partie de plaisir,* initie avec amour sa femme, encore profane. Lorsque le protagoniste chabrolien se sent des lacunes en la matière, il s'en remet à des spécialistes. Legagneur (*Masques*) fait appel à Max pour ses petits plats, et à Manu pour ses vins, et leur cérémonial.

Dans un film « mineur », le spectateur reste doublement sur sa faim. On y mange mal, ou peu. C'est un signe qui ne trompe pas ! Des convives, dans *Marie-Chantal contre docteur Kha,* ne savent pas ce qu'ils dégustent. Le « Tigre » et ses collègues doivent se contenter de sandwichs (*Le Tigre aime la chair fraîche*) ! Sylvia ne partage pas le goût de Sadry, son époux, pour les plats orientaux (*les Magiciens*). Chez Chabrol, on mange en toutes circonstances, même si le cœur n'y est pas. Labbé, des *Fantômes du chapelier,* mange « malgré tout ». Et Thénier, après la disparition de Decourt à laquelle il n'est peut-être pas étranger, fait tout de même honneur à un canard (*Que la bête meure*).

Ceci dit, de même qu'il n'y a pas chez Chabrol de « petits » sujets, il n'y a pas non plus de « petits » plats : voir sur ce point la théorie de l'œuf sur le plat selon Lavardin (pas trop cuit sur les bords, un peu de paprika...).

L'horreur et l'innocence : la province, la bourgeoisie, l'argent et le vaudeville

Il y a une atmosphère « Chabrol », un climat d'étrangeté que soutient volontiers une ambiance sonore inquiétante, aux couleurs de musique contemporaine. La tension qui règne dans *le Boucher* doit beaucoup au travail de Pierre Jansen [1]. Ce film est d'ailleurs caractéristique du décor cha-

---

1. Il est le compositeur de presque tous les films de Chabrol, exceptés les derniers dans lesquels Matthieu, le fils du cinéaste, assure une illustration musicale aux sonorités plus classiques mais tout aussi inquiétantes.

brolien dont l'image rassurante (le village sans histoires) est très vite déchirée par le mal qu'elle couve. L'ironie du contraste est typiquement chabrolienne. Ainsi, les amants des *Noces rouges* se rencontrent lors d'une distribution des prix, à l'école : l'horreur, manifeste ou latente, présente ou à venir, côtoie toujours l'innocence. Et la noirceur chabrolienne est d'autant plus profonde qu'elle émane d'un bonheur apparent, et d'une vie simple et tranquille.

Calme et sereine de réputation, mais couvant d'inavouables secrets, la province est le cadre par excellence du cinéma chabrolien. Loin d'une capitale qui étouffe les conflits, nivelle les antagonismes, la province les exacerbe, les caricature. Plus qu'ailleurs, la bourgeoisie y règne, et protège jalousement ses avantages, sa respectabilité. Les notables des *Fantômes du chapelier* vivent en constante représentation. Leur vie est balisée par des rites obligés (les cartes, l'apéritif, la messe, la promenade) que dissèque le regard aigu, minutieux et ironique de Chabrol.

L'argent a son mot à dire. Mais les intérêts se règlent à mots couverts (sauf peut-être dans *la Rupture* ou dans *le Scandale* : dans les deux cas il est ouvertement question de « fric »). Paul/Piéplu, des *Noces rouges*, déclare hypocritement « faire quelque chose de très bien pour la ville » afin de justifier son projet d'escroquerie immobilière. Il y a, dans *Poulet au vinaigre,* une affaire sordide de spéculation immobilière. Ou encore, dans *Inspecteur Lavardin,* une histoire douteuse d'héritage qui pourrit un peu plus le contentieux familial. Rien à faire : l'argent, bien qu'officiellement absent, est toujours « là », comme le non-dit poisseux de toute fiction.

Chabrol, enfin, aime le vaudeville. *Les Cousins,* c'est déjà l'histoire d'un ménage à trois (deux hommes se disputent une femme), dont *les Biches,* plus tard, inverse le schéma (deux femmes, un homme). *A double tour,* c'est un méchant adultère. *Landru* revient à une « suite » de mini-vaudevilles. Par son seul titre, *la Femme infidèle* souligne son attache au genre, dont relève encore (mais cette fois, c'est le mari qui trompe) *Juste avant la nuit. Une partie de plaisir* s'interroge sur les conséquences d'un manquement aux règles du vaudeville, puisqu'Esther et Philippe s'avouent mutuellement leur infidélité. Il y aurait d'autres exemples.

Le crime et la mort

Tout le récit chabrolien a une odeur de crime, passé ou futur. Car le crime est l'issue inévitable du scénario... et du climat. Voyez la mort de Charles/Blain dans *les Cousins*. Paul/Brialy, le meurtrier, tire avec un revolver qu'il croyait n'être pas chargé. Pourtant, la conclusion sanglante était incontournable. L'un des deux cousins « devait » mourir. Un film de Chabrol « doit » se terminer dans le sang (*le Cri du hibou*). D'où l'extrême tension de *Que la bête meure* dans lequel le crime, justement, tarde. Alors qu'il faut, absolument, « que la bête meure ». Le fait que le crime, finalement, ait lieu hors champ, provoque d'ailleurs une énorme frustration [1].

Certes, le crime chabrolien a souvent ses raisons, et des mobiles clairs : l'intérêt matériel (*le Scandale*), la notabilité (*les Fantômes du chapelier*), le sentiment ou la passion (*Juste avant la nuit, le Boucher* ou encore *les Fantômes*). Mais Chabrol l'entoure toujours d'une connotation étrange. Le mari de *la Femme infidèle* tue l'amant par jalousie, mais le meurtre garde une épaisseur de mystère. Car c'est trop peu que ce mot « de trop » de la victime [2], qui déclenche le geste de l'assassin. Sans ce « hasard », l'époux trompé aurait-il tué ? La folle détermination avec laquelle les amants des *Noces rouges* se débarrassent du mari qui les gêne dépasse toute attente du spectateur (qui pourtant désire aussi cette mort), et le laisse mal à l'aise.

Comme la mauvaise « bouffe », les meurtres banals trahissent, chez Chabrol, des œuvres secondaires. Le « Tigre » et ses acolytes tuent des barbouzes comme des mouches (*Le Tigre aime la chair fraîche*). Le bain de sang qui conclue *Nada*, pour être mélodramatique, n'en est pas moins dérisoire. On ne saurait mourir simplement dans un film de Chabrol. La peinture du trépas doit toujours combiner fascination, ironie et drame. Léda est étranglée tandis que son meurtrier improvise un pas de deux (*À double tour*). La mort de Jacqueline, sans doute une des plus étonnantes de la filmographie, se perd dans l'indifférence muette d'une nature virginale (*les Bonnes Femmes*). Chabrol aime les décès

---

1. Cf. *Le Cinéma en question*, Jean Collet. Editions du Cerf.
2. L'amant, je crois, dit à Desvallées, blanc comme un linge, qu'il a une « sale gueule ».

drolatiques. Lorsque Paul/Piéplu reconnaît son futur assassin (Pierre) sur le bas-côté de la route, sa torpeur est presque comique (*les Noces rouges*). La fin grotesque de Raoul Mons (dans des grognements animaux) est plus abjecte encore que le personnage (*Inspecteur Lavardin*). Si la mort est le point culminant d'un film de Chabrol, elle ne marque pas systématiquement le début ou la conclusion d'une intrigue ; omniprésente, elle est comme un lieu menaçant que « doivent », à un moment ou l'autre, côtoyer les personnages, et avec laquelle, tôt ou tard, ils ont rendez-vous. Le spectateur, lui, n'a qu'à attendre ce passage obligé, crucial.

Hitchcock

Tension, ironie noire, crime, toutes ces figures nous rapprochent singulièrement d'Hitchcock. Chabrol ne cherche d'ailleurs guère à dissimuler l'influence du maître anglais. Il y fait même très ouvertement allusion. Par exemple dans la façon dont il dilate les séquences à suspense. Dans *la Femme infidèle*, Desvallées se débarrasse difficilement du cadavre de l'amant. Un accident de voiture retarde dangereusement l'enfouissement du corps. On veut regarder dans le coffre où se trouve la victime. Celle-ci n'est pas immergée immédiatement dans l'eau de la mare [1]... Toujours dans ce film, il y a ces regards « neutres » mais insupportablement insistants des deux policiers (que l'on retrouve encore dans *les Innocents aux mains sales*), si typiques dans le cinéma d'Hitchcock. La militaire nazie dévisage de la même façon Jodie Foster dans *le Sang des autres*, et dans *Masques*, le jeu de Colette évoque irrésistiblement celui d'une autre « gouvernante », celle de *Rebecca*. Dans *les Fantômes du chapelier*, le mannequin de madame Labbé est un joli clin d'œil à *Psycho*. Dans *le Cri du hibou*, la baie vitrée qui offre à Robert le spectacle de la vie de Juliette, reproduit le modèle de *Fenêtre sur cour*, où James Stewart, en reporter bloqué par une convalescence, surveille les activités « suspectes » de ses voisins. Albin, de *l'Œil du malin,* arbore fièrement un appareil-photo dont il fait grand usage, et qui rappelle le télé-objectif du journaliste indiscret dans le même film.

Se construit ainsi, à partir d'Hitchcock, un ensemble de

---

1. Chabrol précise que cet enfouissement tardif était imprévu : faute d'être prémédité, le référent hitchcockien est consenti.

figures légères (qu'on opposera à d'autres, plus « lourdes », qui font parfois l'objet chez Chabrol d'un regard plus critique).

Le respect du « petit sujet »

Le modèle hitchcockien est parfaitement adéquat à la théorie des « petits sujets ». Ainsi *les Cahiers* contemporains de Chabrol journaliste défendent-ils les auteurs hollywoodiens, malgré la pauvreté de leurs scénarios. Pour eux, l'intérêt est évidemment ailleurs. Auteur fétiche du Chabrol critique, Hitchcock, qui élève ses « petits sujets » à la dignité d'un propos singulier, en est le meilleur exemple. En même temps, le cinéaste hollywoodien s'attache à respecter les conventions du genre que ses sujets imposent. C'est justement son respect du polar qui lui vaut le qualificatif de « maître du suspense ». Le même respect caractérise Chabrol. C'est au moins autant par choix que par nécessité financière (comme c'était le cas pour le premier *Tigre*) qu'il poursuit, dans *Marie-Chantal contre docteur Kha*, son exploration du film d'espionnage. Et l'on remarque son souci, dans ce film, de ne pas s'écarter du fil conducteur (Marie-Chantal parviendra-t-elle à éviter que Kha entre en possession du poison ?) au nom d'une prétendue supériorité d'« auteur ».

De même que la fiction est une nécessité pour Chabrol, le « petit sujet » en est la voie royale. C'est en s'en éloignant que le cinéaste a connu ses pires échecs. Dans *la Décade prodigieuse*, les personnages, prisonniers d'une lourde symbolique, ne valent que par ce qu'ils représentent (alors que dans un « bon Chabrol », ils sont d'abord eux-mêmes). Le film paraphrase le texte biblique, du Jardin d'Eden aux Dix Commandements en passant par le Péché Originel. Chabrol y oublie ses principes : l'auteur s'embourbe dans le « grand sujet ».

Le polar : « petit sujet » idéal

Parce qu'il faut une histoire, mais que l'histoire aussi, est subalterne, Chabrol voit dans son cinéma « *le lieu d'une contradiction* [1] ». A ce point, sa réflexion sur les genres est éclairante. Dans un article, « Evolution du film policier » [2],

1. Interview, *Cinématographe* n° 81, septembre 1982.
2. *Cahiers du cinéma* n° 54, noël 1955.

Richard mijote un « petit sujet idéal ». *A double tour.*

Chabrol constatait que la qualité d'œuvres comme *Scarface* (H. Hawks) ne devait pas plus à leur liberté qu'à leur soumission au genre. « *Il n'est pas question dans ces films de rénover un genre en élargissant son cadre ou en l'intellectualisant de quelque façon. Il n'est en fait pas question de rénover quoi que ce soit, mais tout simplement de s'exprimer par le truchement d'une affabulation point trop déroutante* [1] ». A regarder l'œuvre chabrolienne, nourrie de fictions policières, on comprend l'importance de ces quelques phrases. Un polar signé Chabrol ne cherche pas à « élargir » le genre, pas plus qu'il ne « l'intellectualise ».

Qu'on en juge par les synopsis. Paul Wagner est-il coupable des meurtres dont il est à chaque fois le premier témoin (*le Scandale*) ? Charles Desvallées a tenté le crime parfait ; personne, exceptée son épouse, ne devait deviner sa culpabilité (*la Femme infidèle*). Non seulement Théo fait chanter son épouse et son fils, coupables d'adultère, mais il tue sa femme dans le seul but de faire accuser son fils de ce meurtre

---

1. « Evolution du film policier. »

(*la Décade prodigieuse*). Les amants des *Noces rouges* simulent un accident de voiture pour justifier le meurtre du mari gênant. Roland Chevalier veut savoir ce qu'est devenue sa sœur depuis son séjour chez Legagneur et joue les détectives (*Masques*). L'inspecteur soupçonne Robert d'avoir tué Philippe (lequel n'a que disparu), et d'être à l'origine du suicide de Juliette (*le Cri du hibou*).

Très vite pour Chabrol, le polar est devenu le cadre de la fiction. Peut-être parce qu'il servait à la perfection le climat chabrolien. L'horreur qui s'infiltre aux plis de l'innocence, les bourgeois provinciaux figés dans leur apparence et leurs archaïsmes, l'argent à cacher ou à voler, les passions qui bouillonnent sous la notabilité froide, et enfin le crime et la mort ; tous ces thèmes chabroliens trouvent leur écho dans les conventions du genre. Regardons *A double tour*.

Léda ne serait pas morte assassinée si Henri Marcoux, son amant, avait su choisir, plus tôt, entre elle et sa famille, entre la passion et le confort sentimental, entre la bohème et l'existence bourgeoise. Le coupable est évidemment celui ou celle qui supporte le moins la présence de Léda — elle vit à côté de la propriété des Marcoux. Or justement, la haine habitant la plupart des protagonistes, qui peut-il être ? Thérèse, l'épouse d'Henri, a contre elle le mobile de la jalousie. Elisabeth, la fille d'Henri, est déchirée par le manquement de son père à ses devoirs familiaux. Une telle souffrance pourrait lui inspirer un désir de vengeance à l'encontre de l'amante. Finalement, c'est le fils, Richard, le coupable : il n'a pas pardonné à Léda d'avoir révélé la médiocrité de sa famille. En recherchant l'assassin, l'apprenti-commissaire auquel joue Lazlo, ami de la défunte, expose au grand jour toutes les passions dissimulées par l'hypocrisie bourgeoise. Le héros policier devient ainsi l'alter ego du cinéaste ; leurs objectifs se confondent, et le récit trouve alors son unité et sa rondeur, malgré sa banalité vaudevillesque et macabre.

Au surplus, le polar a cette particularité qu'il autorise les outrances, celles justement dont raffole le spectateur chabrolien. A distance raisonnable, et dans le confort des salles obscures, le public jubile à ce vilain déballage. Chabrol, manipulateur, affecte de le rassurer : « Cher public, ces coucheries minables, ces désirs crapuleux, cette rapacité, cet égoïsme, cette hypocrisie ne te concernent pas. Nous sommes, cher citadin, au fond d'une province immonde mais lointaine.

Jouis en paix de son spectacle, de ses tentations extrêmes. Tu ne risques certes pas d'y basculer. »

Le monde de Chabrol ne suscite pas l'identification. Il faudrait parler, plutôt, de projection, et d'une certaine distanciation qui demeure la condition du plaisir du spectateur. L'auteur se réserve d'en faire payer le prix fort. Mais dans un second temps...

L'intrigue

Le film sera d'autant meilleur que l'intrigue sera plus simple ! Chabrol prolonge ainsi sa politique des « petits sujets » en rendant « l'affabulation » moins « déroutante » encore. Dans *Inspecteur Lavardin*, deux scènes de repas, assez statiques, ont pour objet essentiel de renseigner le spectateur sur l'identité et les intérêts des personnages [1]. Celle du pré-générique informe des caractères respectifs des protagonistes. La seconde, en présence de Lavardin qui fait office de spectateur attentif, est l'occasion de découvrir les liens qui unissent Claude, Hélène, Raoul le défunt, l'escroquerie à l'héritage, les « disparitions » de Jeanne et de Pierre, conjoints respectifs de Claude et d'Hélène. Ce genre de scène, *uniquement utilitaire* selon Chabrol [2], permet *d'aller le plus vite possible pour en dire le plus possible* [2]. Le cinéaste doit en passer par elle, *c'est là*, dit-il, *qu'on gagne le spectateur ou pas* [2] ; conscient que celui-ci doit très vite se familiariser avec une intrigue, fût-elle minuscule, avant de se mettre à l'écoute d'un éventuel propos.

Mais même minimale, l'intrigue demeure indispensable. Et pourtant, Chabrol en a parfois « oublié » la nécessité, pour faire le grand saut vers ce qui n'est plus vraiment de l'ordre du polar.

Les Fantômes du chapelier et Inspecteur Lavardin

C'est le cas dans *les Fantômes*, où Chabrol saborde d'entrée tous les ressorts susceptibles de « tenir » le récit. Très vite, on sait que madame Labbé est morte, et qu'elle a été tuée par son mari. En outre, comme Labbé recherche la présence

1. Chabrol choisit souvent la convivialité d'une table pour exposer ses intrigues. Dans *Masques,* Legagneur profite d'un repas pour raconter à Wolf (à nous) la mésaventure de sa filleule Catherine.
2. Interview, *Cahiers du cinéma* n° 381, mars 1986.

de Kachoudas pour commettre ses crimes, ce dernier est exactement le contraire du témoin gênant dont la présence, et les tentatives d'élimination, sont un des moteurs classiques du film policier. Chabrol, donc, transgresse son propre principe. Labbé et Kachoudas paraissent s'affranchir du genre ; et l'auteur, « élargir » le polar. Les personnages profitent alors d'une liberté que le genre ne leur donne pas. Du coup, parce qu'il semblait sous-estimer les nécessités dramatiques du polar, on a soupçonné Chabrol de ne « plus croire au cinéma » [1]. Face au public, face à la critique, Chabrol se trouvait comme « sous-protégé », imprudemment défait de cette armure du genre qui maintient le corps droit, et dévie l'attaque personnelle.

Inspecteur Lavardin ne reproduit pas l'erreur tactique des *Fantômes*. Si l'exposition de l'intrigue tient une place minimale, sa résolution occupe pleinement le récit. Chabrol ne dévoile rien avant l'heure. Il laisse en suspens l'explication de la mort de l'écrivain (Mons) que le « flic » ne comprendra que tardivement. La fiction (le polar) y retrouve son compte.

Cinémathèque française

A cause de feu madame Labbé, le chapelier « élargit » le polar. *Les Fantômes du chapelier.*

1. « Les désillusions de Chabrol », Serge Toubiana, *Cahiers du cinéma* n° 338, août 1982.

Comblé de ce côté-ci, le spectateur est prêt à tout accepter des caprices (justifiés) de Lavardin. Chabrol ici ne cherche pas à scier les barreaux du genre ; en vertu des « petits sujets », il respecte, sans en être l'esclave, l'intrigue subalterne, moteur d'un propos autrement plus ambitieux. Chabrol ainsi « sur-protégé », reste maître de son film.

Mais l'auteur sera parfois « sur-protégé » à l'excès. Des personnages qui n'ont pas la densité d'un Lavardin seront alors écrasés par la fiction. Ainsi, l'héroïne de *Marie-Chantal contre docteur Kha* se laisse « bouffer » par le sujet. Marie-Chantal est une exécutante, reflet des limites, et des naïvetés du film d'espionnage. Dès lors, le genre « protège » trop Chabrol, dont le message, pour limpide qu'il soit, passe moins bien.

L'équilibre

« *Les intrigues ne m'intéressent pas beaucoup, confie Chabrol, ou plutôt elles m'intéressent à la manière de Simenon* (l'auteur du roman dont s'inspire *les Fantômes du chapelier*), *lorsque les personnages se rencontrent ; leurs rapports fabriquent une intrigue, elle n'est pas première. C'est pourquoi raconter une histoire et coller des personnages dessus me séduit moins que le contraire (...) J'aime mieux prendre des personnages et voir ce qu'il peut leur arriver* [1] ». Chabrol évoquerait ici ses films « sous-protégés », ceux, comme *les Fantômes*, où les personnages décollent, pour ainsi dire, de la trame fictionnelle qui leur est assignée. Conscient que ces œuvres ne sont pas toujours bien acceptées, l'auteur fabrique (avec plaisir parfois) des films « sur-protégés », auxquels appartient *Inspecteur Lavardin,* et qui feignent de donner la primauté à l'intrigue pour ensuite y « développer » des personnages.

A la vérité, les meilleurs Chabrol harmonisent trois forces : le discours de l'auteur, le sujet et les personnages. Afin de porter sans encombre le discours de l'auteur, les protagonistes respectent l'intrigue, en contrepartie de quoi celle-ci n'étouffe pas les personnages. Un « bon Chabrol » parvient donc à concilier « sous-protection » et « sur-protection », à trouver une sorte d'équilibre entre ces deux extrêmes, qu'il-

---

1. Interview, *Cinéma 82,* septembre, n° 285.

lustre exemplairement la période « pompidolienne » du réalisateur.

La période « pompidolienne »

Les personnages « pompidoliens » ne souffrent pas d'un manque de profondeur (comme Marie-Chantal). Ils ont une épaisseur, et comme une « histoire », qui semble déborder le cadre du récit. C'est une vieille photographie de Charles Desvallées qui introduit *la Femme infidèle*. Dans *le Boucher,* la vie de Popaul ne commence pas, c'est le moins que l'on puisse dire, avec la cérémonie du mariage qui ouvre le film. Une enfance malheureuse avec son père, « un beau fumier », l'horreur de la guerre, vécue de trop près, son métier de boucher, tout aussi sanguinaire ; ces faits, d'ailleurs racontés par Popaul, concourent à ce que le boucher soit ce qu'il est (ou ce que nous désirons qu'il soit). Le passé de ces personnages, leur caractérisation affinée jusque dans les moindres détails, la pudeur et le quant-à-soi bourgeois de Desvallées (*la Femme infidèle*), l'extrême timidité de Popaul (*le Boucher*), la hantise de l'embourgeoisement chez Masson (*Juste avant la nuit*), la lâcheté de Thénier (*Que la bête meure*), pour ne citer que ceux-là, « expliquent » les mésaventures qu'ils vivent et qui les déchirent.

Par ailleurs, dans ces films, les structures du polar soutiennent le récit, et surdéterminent les choix des protagonistes : le scénario a un véritable enjeu, et ne peut plus passer pour un simple prétexte. Charles Desvallées a tué l'amant de sa femme : comment avouera-t-il son geste à celle-ci, et quelle sera désormais leur vie conjugale ? Hélène l'institutrice ne sait rien, ou ne veut rien savoir, des crimes du boucher : quel événement l'obligera à entrevoir la terrible vérité ? Et quelle attitude affichera Hélène à l'égard de Popaul ? Charles Thénier veut se venger de la mort de son fils renversé par Paul Decourt : Charles, peu enclin à l'action par manque de courage, va-t-il parvenir à tuer Paul, et comment ? Ce sont ces questions qui impliquent le spectateur. Chabrol respecte totalement ses sujets. Mais il s'agit moins d'un respect par obligation, comme c'est le cas parfois pour un polar « sur-protégé », que d'un intérêt réel pour le sujet. A telle enseigne que l'on pourrait douter du bien fondé de la théorie des « petits sujets », tant la fiction « pompidolienne » se confond avec le propre discours du cinéaste.

Une critique sans doute nostalgique de la modernité du Chabrol « Nouvelle Vague » [1] lui reprocha alors l'inflation de ses sujets, et de revenir au classicisme de la « Qualité Française » où le discours du cinéaste s'identifie à son sujet, qui n'aurait désormais plus rien de « petit ». Un film comme *le Boucher* serait même un « grand sujet » ; puisque, à l'image de Théo qui dans *la Décade prodigieuse* « est » Dieu, Popaul « est » l'horreur cromagnonesque. Or justement, il n'est pas que cela, et le « boucher » ne ressemble à personne. Théo, lui, est joué par Orson Welles, c'est dire combien sa stature de Commandeur (mise en relief par le filmage de Chabrol, sans doute impressionné par ce « père » du septième art) incarne Dieu. Quant à Charles Van Horn, il est interprété par Anthony Perkins, personnage écrasé (par le « père »), dont la névrose renvoie directement à la prestation de l'acteur dans *Psychose*. Bien que proche d'elle dans la filmographie, *la Décade prodigieuse* n'a, il est vrai, plus rien à voir avec la période « pompidolienne ».

---

1. *Cahiers du cinéma* n° 211, Pascal Kané ; à propos de *la Route de Corinthe, les Biches, la Femme infidèle. Cahiers du cinéma* n° 218, Jean-Pierre Oudart ; à propos de *Que la bête meure.*

LE CINÉMA DE CHABROL

« Optimistes » et « Esotériques »

Ecrivant sur *la Ligne de démarcation* [1], Luc Moullet classait les cinéastes en deux catégories, les « optimistes » et les « ésotériques » (lesquels ne sont pas forcément pessimistes). Pour schématique qu'elle soit, la distinction est pertinente, et mérite qu'on la développe.

Les « optimistes » croient en la vertu ontologique du cinéma. En enregistrant des images du monde, la caméra imprime « automatiquement » de la vérité. Cette confiance intangible en l'outil « cinéma » dispense d'avoir recours à des subterfuges. Un « optimiste » refuse par exemple de s'embarrasser des grilles d'un genre. Son scénario, généralement minimal mais fort, repose sur des dialogues qui ne recèlent aucune énigme. Il n'est qu'à écouter ceux de Rossellini, cinéaste « optimiste » par excellence. La mise en scène se veut réduite à son expression la plus simple, ou la plus pure. Un tel cinéma entend communiquer directement avec le spectateur, sans complexité de formes inutiles : c'est là son « optimisme ».

La démarche « ésotérique » est à l'opposé. Le propos s'avance masqué ; à telle enseigne qu'une seconde « lecture » est souvent nécessaire. L'objet (réel) n'a rien, ou peu, à voir avec le sujet (prétexte). Ce qui est montré a une signification « autre », presque secrète. « Esotérique », Hitchcock a besoin de polars pour disserter sur le monde. Le maître du suspense, par exemple dans *les Trente-neuf marches,* présente une femme et un homme enchaînés par une paire de menottes sur un lit ; parce qu'il ne « sait pas » parler « directement » du couple. *« On ne peut pas connaître de façon directe,* dit justement Chabrol à propos d'Hitchcock, *les idées qu'il a certainement sur beaucoup de choses. On est obligé de passer par l'analyse systématique de la façon dont il a voulu les faire. C'est une complexité sans nom. Il n'a pas*

---

1. *Cahiers du cinéma* n° 182, septembre 1966.

choisi le plus court chemin » [1]. Devant tant de mystères, « l'ésotérique » s'oblige à livrer quelques clés à défaut desquelles l'œuvre reste imperméable. La mise en scène, signifiante toujours, stylisée parfois, est donc pour lui un passage obligé.

Luc Moullet rangeait Chabrol parmi les « ésotériques ». On peut le suivre. Une préférence pour le « petit sujet » dissimulant des objets plus ambitieux, un goût prononcé pour le cinéma de genre, un souci permanent de masquer (provisoirement) le discours profond, des références explicites à Hitchcock et à Lang, la « traversée des apparences » [2] ; tout cela voue Chabrol à « l'ésotérisme » le plus orthodoxe. A regarder les films plus en détail, on découvre cependant qu'il y a aussi un « optimisme » chabrolien.

« L'optimisme » de la Nouvelle Vague

La Nouvelle Vague, ne serait-ce que pour sa confiance absolue en l'outil « cinéma », son choix « éthique » de filmer en décors naturels, ses références appuyées au cinéma moderne, et particulièrement à Rossellini, pratique un cinéma (plutôt) « optimiste ». Durant cette période, Chabrol n'échappe pas à la règle ; même si « la traversée des apparences » est à l'œuvre dès *le Beau Serge*.

Les Cousins, évoquant les relations complexes entre Charles et Paul, repose sur un scénario lâche que ne parviennent pas à souder la rivalité des cousins autour de Florence, l'échéance des examens, et d'autres événements mineurs. L'ambiguïté des rapports entre les deux personnages, le milieu estudiantin des années cinquante (traité avec une justesse de documentaire), sont donc ici livrés « seuls », sans réels détours scénaristiques. En cinéaste « optimiste », Chabrol filme le réel tel que chacun (s'il le désire) peut le voir.

Les Bonnes Femmes

Le public, toutefois, réagit mal à ce qu'il interprète comme un déni de fiction. Et son rejet s'intensifie face aux *Bonnes Femmes,* où faute d'un scénario visible, les héroïnes semblent

---

1. Interview, *Cahiers du cinéma* n° 138, décembre 1962.
2. A travers ce thème, les êtres sont ce qu'ils cachent et non ce qu'ils donnent à voir (Cf. « L'être et le paraître »).

livrées à elles-mêmes. Si les personnages avaient été encadrés par un « sujet » (fût-il « petit »), le spectateur aurait peut-être reconnu l'auteur d'une tout autre manière : comme le dénonciateur de la faillite morale et sociale de ses héroïnes. C'est pourtant ce que fait Chabrol, réellement. Mais, là encore, il le fait sans détour fictionnel.

Plus « optimiste » que jamais, *les Bonnes Femmes* ne dit pas autre chose que ce que l'on voit à l'écran. La caméra semble enregistrer le monde sans a priori, presque sans « mise en scène ». *Les Bonnes Femmes* exerce un regard « ontologique » au sens bazinien du terme ; « le plus pur », précisait André S. Labarthe pour qui ce film est le plus représentatif de la Nouvelle Vague [1] — parce que sans doute le plus « optimiste ». A travers le thème de la surveillance, le regard est lui-même devenu scénario [2]. Aucune entrave n'est faite à cette symbiose. Fidèle à la tradition « optimiste », et spécifiquement à Rossellini, *les Bonnes Femmes* esquive toute forme de symbolisme ou simplement d'explication. « *Au départ,* confie Chabrol, *quand nous avons fait le scénario, les personnages, pour Gégauff, étaient des cons. Mais, en même temps, nous nous apercevions peu à peu, lui et moi, que, s'ils étaient cons, c'est d'abord parce qu'ils ne pouvaient s'exprimer. Ils ne pouvaient établir de rapports les uns avec les autres. C'est pour cela que, dans le film, le dialogue est la plupart du temps ramené à des bruits, des interjections, des borborygmes. Cette conception du langage ne repose pas du tout sur la méchanceté, c'est simplement un constat, un peu triste, d'une impossibilité de rapports (...) Quant aux quatre bonnes femmes, elles ne sont pas montrées comme des imbéciles. Seulement, elles sont abruties par leur façon de vivre et par leurs lectures* » [3].

André S. Labarthe, toujours dans « Le plus pur regard », s'arrête sur le statut du motard, l'assassin de Jacqueline. Selon le critique, ce motard s'interpose entre le cinéaste et ses héroïnes. Il incombe à André Lapierre (Mario David) une sorte de rôle-tampon. Chabrol ne filme pas directement les filles, mais le motard qui les surveille.

Il donne ainsi à Lapierre tout loisir de suivre les « bonnes

1. « Le plus pur regard », *Cahiers du cinéma* n° 108, juin 1960.
2. Tout au long de ce film, le motard, André Lapierre, espionne les « bonnes femmes », et précisément Jacqueline (Cf. « L'être et le paraître »).
3. Interview, *Cahiers du cinéma* n° 138, décembre 1962.

Les Bonnes Femmes : la rupture.

femmes », et le charge des pires fantasmes, afin que lui, l'auteur, débarrassé de cet imaginaire malsain qu'encourage le voyeurisme, puisse regarder « objectivement » ses héroïnes.

Toutefois, selon nous, le motard ne remplit pas tout à fait sa fonction de relais. Parce qu'il se contente d'exercer un regard et ne consent à devenir « acteur » qu'en fin de récit, il tend progressivement à se confondre avec le cinéaste. Ne se cachant derrière aucun jeu (d'acteur), André Lapierre travaille donc à découvert vis-à-vis du spectateur ; il est en définitive un « optimiste », comme son auteur.

Avec *les Bonnes Femmes,* Chabrol a appris à ses dépens, qu'il était difficile, voire impossible, de montrer une réalité désagréable de manière « optimiste » ; à savoir, sans suggestion de mise en scène, sans effort de dissimulation, en un mot sans « ésotérisme ». En effet, le public de l'époque a « accusé » l'auteur de juger ses « bonnes femmes », alors qu'il voulait se contenter de les décrire.

« *Ce qu'il faudrait,* dit le cinéaste, *c'est expliquer aux gens que ce qu'ils voient n'est ni méchant ni caricatural. Ils pourraient ainsi le voir plus tranquillement. Mais le cinéma est un des rares arts où le spectateur a un complexe de supériorité vis-à-vis de la chose qu'il voit. Il a tendance à se marrer, à se foutre de ce qu'il y a sur l'écran* »[1]. Une telle explication, tout juste consécutive à l'échec des *Bonnes Femmes,* annonce le renoncement de Chabrol à « l'optimisme » de ses premières œuvres. Les films suivants marqueront un important tournant : désormais Chabrol saura détourner à son profit le « complexe de supériorité » du spectateur.

Assurément, *les Bonnes Femmes* constitue une rupture dans la carrière de Chabrol.

Les « motards ésotériques »

Si le motard des *Bonnes Femmes* n'a pas tout à fait rempli le rôle prévu, Chabrol n'en conservera pas moins le principe. Ainsi appellerons-nous « motard » tout personnage qui exerce une fonction de relais entre l'auteur et les protagonistes ; et qui, parfois, plaide le faux pour que le cinéaste pointe le vrai.

Cette technique, paradoxale en apparence, est régulièrement utilisée dans l'œuvre. C'est la naïveté de Marie-Chantal qui permet à Chabrol de démonter le film d'espionnage (*Marie-Chantal contre docteur Kha*) ; ou la névrose de Charles Masson (*Juste avant la nuit*), qui autorise la satire des mœurs de la bourgeoisie pompidolienne.

Dans *Poulet au vinaigre,* l'enquête que l'auteur mène sur les notables de la ville est l'occasion pour Louis (le personnage principal avant l'arrivée de Lavardin), de fuir la possessivité de sa mère, de « rôder », comme le dit Henriette, sa collègue de la poste [2]. Louis s'avère donc un excellent « motard » puisqu'il est amené à « regarder » la ville entière. Mais, pour lui, tous les prétextes sont bons pour sortir de la maison maternelle. Et on en vient à se demander si le jeune postier ne souhaite pas des complots supplémentaires, s'il ne les provoque pas, consciemment ou non. Tout cela peut remettre en question notre a priori défavorable à l'encontre des bourgeois, et par conséquent à nuancer notre jugement et nos soupçons. Arrive Lavardin. On ne s'étonnera pas que Louis passe immédiatement la main : il n'y a pas place, dans un film, pour plusieurs « motards ». Le métier d'inspecteur de

---

1. Interview, *Cahiers du cinéma* n° 138, décembre 1962.
2. Louis est chargé par sa mère d'espionner Filiol, Lavoisier et Moraceau qui en veulent à leur maison.

Lavardin le prédispose à jouer ce nouveau rôle. Flic, il ne voit que la face négative du monde, et là encore, le spectateur est amené à compenser le point de vue pessimiste du personnage.

Nous sommes loin d'André Lapierre. Tout se passe comme si l'auteur choisissait (volontairement) de « mauvais » porte-parole, qui prendraient un malin plaisir à trahir la pensée du cinéaste. De tous ces « motards », Albin, de *l'Œil du malin,* demeure le plus obscur, par conséquent l'un des plus « ésotériques » dans l'œuvre de Chabrol.

En troublant systématiquement le jeu de la vérité et du mensonge, le reporter, apprenti-narrateur [1], sape les fondements réalistes du cinéma. Le récit ne se contente plus de masquer le discours de l'auteur derrière les conventions d'un genre, d'une intrigue de polar : Albin, qui raconte l'histoire, contredit explicitement ce qui est à l'image. Pour biaiser plus encore la signification du récit, cette contradiction n'est pas systématique : Albin peut « aussi » dire la vérité. Symétriquement, l'image est aussi susceptible de livrer des mensonges. Force est de constater qu'avec ce film, Chabrol n'a pas pris « le plus court chemin ».

Une mise en scène toujours moderne

Avec *l'Œil du malin,* c'est toute la mise en scène qui prend le parti de « l'ésotérisme ». Pour certaines séquences, Chabrol utilise le plan subjectif (du reporter). Le couple Hartmann regardé par Albin (exclu du champ) s'accorde avec le discours que tient ce dernier en voix off. Mais lorsque le cinéaste filme des séquences objectives, dans lesquelles sont réunis les Hartmann et le reporter, non seulement celui-ci semble déplacé aux côtés de ses « amis », mais surtout ces images prouvent combien le pouvoir que dit exercer Albin est le fruit de sa seule imagination. Pour parachever le tout, Chabrol « prend » régulièrement son personnage en désarroi, seul.

On l'aura compris : chaque film (« ésotérique ») de Chabrol a ainsi ses propres clés, livrées par la mise en scène. Grâce à elle, l'auteur permet au spectateur d'aller au-delà de ce que le film raconte. Déjà, *le Beau Serge* suit ce schéma.

---

1. Albin raconte a posteriori quelles ont été ses relations passées avec un couple, Andréas et Hélène Hartmann (Cf. « L'être et le paraître »).

C'est l'image qui contredit l'histoire, et les dialogues, et modifie progressivement la vision que nous avons des personnages [1].

L'article, « La peau, l'air et le subconscient » [2], précise : François est habillé de clair dans un environnement sombre. Son but, aider Serge, n'est peut-être pas aussi louable. A l'inverse, Serge, vêtu de sombre, évolue dans des teintes claires. Sa déchéance n'est donc pas si évidente, elle masque des éclairs de lucidité et d'amour.

« La peau, l'air et le subconscient » évoque le dénouement du film, sous la nuit neigeuse, dans le noir tacheté de blanc. François sauve Serge, d'où cette omniprésence de la neige, symbole de pureté. Mais le prolongement de la nuit fait aussi douter de l'altruisme de François à la fin du film.

Souvent taxé de classicisme, Chabrol est au contraire un auteur d'une grande modernité. Son cinéma en effet repose systématiquement sur la notion de regard, selon deux options possibles. Face à une histoire trop bien ficelée, le regard chabrolien, s'il veut exercer son plein droit, se doit d'être actif ; une telle option motive une mise en scène critique, signifiante, « ésotérique ». A contrario, devant un scénario plutôt lâche, Chabrol considère le regard, nullement érodé par une histoire trop envahissante, comme existant de lui-même. Le cinéaste, alors plus passif, se refuse à intervenir : sa mise en scène se fait minimale, « optimiste ». C'est le cas des *Bonnes Femmes*.

L'expressionnisme chabrolien

Revenons au *Beau Serge*. L'opposition systématique du noir et du blanc, du clair et du sombre, a pour rôle essentiel de pervertir les certitudes du scénario, d'en contester les « apparences ». Cette esthétique correspond à une définition possible de l'expressionnisme, particulièrement de celui de Murnau chez qui le noir et le blanc ne renvoient pas à des oppositions morales simples. Nosferatu est auréolé de lumière malgré la nuit qui l'entoure. Au moment où il atteint son but, voir le jour, se fondre dans le monde des vivants et accéder à une

---

1. Rappelons le scénario : François entend sauver Serge de sa déchéance. Il y parvient en le ramenant au chevet de sa femme, Yvonne, qui accouche.
2. Chabrol a écrit cet article dans le but à peine voilé, d'« expliquer » *le Beau Serge* (Cf. « L'être et le paraître »).

forme de vérité, il se dissout dans la clarté du petit matin. Le noir n'est donc pas associé à la mort ou au mensonge ; ni le blanc, à la vie ou à la vérité.

L'œuvre de Murnau repose toute entière sur le thème du « passage », de la vie à la mort, du réel à l'imaginaire, du bien au mal, de la vérité au mensonge. Ce « passage » est symbolisé par le pont dans *Nosferatu le vampire*, ou par le tramway dans *l'Aurore*, des figures concrètes que Chabrol reprend trait pour trait dans *la Ligne de démarcation* (le pont), ou *Violette Nozière*, lorsque l'héroïne prend à diverses reprises un tramway pour échapper à l'univers de ses parents. Ces références ont peut-être valeur de clins d'œil — comparables à ceux en l'honneur d'Hitchcock — mais elles ne traduisent qu'un aspect des liens profonds entre Chabrol et le cinéaste allemand. Par la notion même de « traversée » (des « apparences »), l'auteur se réfère au « passage » de Murnau, dont il dilate la thématique : certaines de ses œuvres ne sont ainsi que des « traversées ». Qu'*Alice ou la dernière fugue* raconte le seul « passage », d'Alice l'héroïne, de la vie à la mort, est une des interprétations possibles de ce film.

Il arrive aussi que Chabrol renonce à la subtilité du maître expressionniste. L'image alors semble appuyer les traits du scénario. Les personnages qui portent le mal s'assombrissent (au sens propre du terme) au fur et à mesure que le récit avance : c'est le cas des amants des *Noces rouges*, dont la nature sordide s'adapte de mieux en mieux à l'obscurité [1]. Thomas, le personnage « piégé » de *la Rupture*, s'enfonce progressivement dans une nuit qui l'étouffe. Vers la fin, il reproche à Sonia, sa compagne, de ne jamais ouvrir les volets de la pièce (alors qu'auparavant il ne semblait pas souffrir de cet enfermement) [2]. Comme le suggère le titre, *Juste avant la nuit* s'achemine lentement vers l'obscurité. Après avoir tué sa maîtresse, Masson s'abrite derrière des lunettes noires et s'enfonce dans un bar sombre au sous-sol. Ses aveux successifs le rapprochent un peu plus à chaque fois de la nuit, synonyme de mort. Il parle à Hélène, son épouse, sous une lumière automnale ; puis se confesse à son meilleur ami, François, mari de la défunte, dans l'obscurité totale. Enfin, il demande à sa femme, avant de mourir, de

---

1. Cf. *les Noces rouges*, « L'être et le paraître ».
2. Thomas est payé par l'industriel Régnier pour perdre Hélène, la propre belle-fille de l'industriel (*la Rupture*, « L'être et le paraître »).

« faire la nuit », le but ultime du film.

Il y a chez Chabrol une philosophie qui s'inspirerait des fondements de l'expressionnisme. L'étouffement qu'éprouve Thomas (*la Rupture*) dans sa chambre s'explique d'autant mieux que celui-ci a cru s'extraire de cette pièce fermée grâce à l'opportunité « Régnier » qui finalement l'anéantit. Autrement dit, bien illusoire est la « traversée » de Thomas qui est parti du noir pour mieux y retourner. C'est un peu le sens de la première scène du *Sang des autres,* qui, lorsque nous la revoyons à la fin, fait comprendre que le film en entier est un immense flashback. Dans cette séquence inaugurale, la lumière augmente lentement pour révéler Hélène, agonisante. Chabrol raconte alors l'histoire de l'héroïne, sa vie sentimentale, son passé de résistante. Quand la scène est reprise à la fin pour signifier la mort effective d'Hélène, elle se conclut par un fondu au noir. Le noir retourne au noir, comme la poussière à la poussière. *Le Sang des autres* aura restitué la dernière « traversée » d'Hélène ; un peu comme *Alice ou la dernière fugue,* celle d'Alice.

L'expressionnisme marque aussi la ligne de partage entre « l'optimisme » et « l'ésotérisme », qui caractérise l'œuvre. L'expressionnisme du *Sang des autres,* au-delà de la scène qui vient d'être citée, apparaît (trop) manifestement lorsqu'une bougie s'éteint pour annoncer le « départ » des deux amies juives d'Hélène (le film a pour décor l'Occupation) : l'une, la mère, ne cache d'ailleurs pas son appréhension devant cette flamme soufflée. Dans *Poulet au vinaigre,* le sort d'Anna Foscari ne fait aucun doute non plus. La maîtresse d'un des notables ne peut affronter le pâle soleil de Normandie sans ses lunettes noires. Anna ne supporte que la lumière de l'écran cathodique, plaisir « négatif » [1], solitaire, auquel elle s'adonne dans l'obscurité de son studio. Son destin est cruellement scellé.

Avec une autre « fille », Berthe, des *Fantômes du chapelier* [2], le mal n'est plus symbolisé par le noir. Elle, baigne dans une lumière radieuse. S'agit-il de la vision sublimée de Labbé, amoureux de la jeune femme ? Certes, la soubrette des notables, parfaitement organisée, a l'air de bien vivre son

---

1. Cette idée de « négation » est développée dans « Un premier bilan : le vrai mal ».
2. Le film est indéniablement expressionniste, par ses éclairages, ses ombres, ses cadrages, ses décors... et son héros nocturne.

petit commerce, ne boit pas (contrairement à Anna) et aime la lecture, un plaisir « positif ». Mais le doute est permis, et les teintes qui illuminent la jeune femme ne laissent en rien présager de son destin funeste ; au contraire, elles repoussent notre pressentiment de sa mort prochaine. L'expressionnisme enraye ainsi le déroulement de certains films, et joue avec notre attente.

Il y a deux types de films : ceux qui se terminent au matin, et ceux qui s'achèvent le soir. Division simpliste ? Peut-être, mais voyons plutôt. Dans *le Boucher,* Hélène l'institutrice se sent (in)directement responsable des crimes de Popaul. Après le décès du boucher, intervenu dans la nuit, Hélène, aux premières lueurs de l'aurore, s'arrête au bord d'une rivière. Symboles de vie et de renouveau, l'eau et la lumière donnent à penser que le drame est clos, que l'empreinte du mal s'est effacée. Mais le visage d'Hélène, hagard, indifférent à la nature, contredit ce sentiment.

Au matin, Labbé, des *Fantômes,* est surpris aux côtés de Berthe étranglée : son enfer est terminé. Mais cette conclusion, dans une certaine mesure heureuse, abat le masque du chapelier et livre son vrai visage, lamentable, griffé par le malheur.

Ni l'institutrice, ni le chapelier ne savent qu'ils sont sauvés. Chabrol, lui, le sait, et le dit, « avant », par l'image.

Les films du soir maintenant. Dans *A double tour,* Richard, l'assassin de Léda, compte se livrer à la police sur les conseils de Lazlo. Or, parce que cette issue rassurante s'accompagne d'une pénombre crépusculaire, le spectateur doute de l'avenir de Richard. Par les encouragements de Lazlo, le criminel pense pouvoir se racheter. Il ne sait rien encore des épreuves morales qui l'attendent. Et puis, une lampe (du parc que Richard abandonne, plus déterminé que jamais) s'allume. L'assassin aurait une chance, minime, de s'en sortir ? Et la mort de Léda, pour désastreuse qu'elle soit, n'aurait peut-être pas été si inutile ?

Et Paul Régis, de *la Décade prodigieuse,* connaît-il vraiment son destin ? Berné par Théo Van Horn, l'universitaire trop sûr de lui a appris l'humilité [1]. Régis, enrichi par cette épreuve,

---

1. Régis croit que Charles, le fils de Théo, est « vraiment » fou, que celui-ci est l'assassin d'Hélène, l'épouse de Théo. En fait, Van Horn est coupable sur toute la ligne ; et l'universitaire n'en est conscient qu'au tout dernier moment.

quitte le château. Mais « derrière son dos » règne la confusion. C'est la nuit tandis que, une par une, s'allument les fenêtres. Contrairement à ce que pense Régis, d'autres Théo, source de son mal (l'orgueil) risquent de reparaître. Victime de cet orgueil qui sommeille en lui, l'universitaire sera à nouveau dupé. Voilà ce que dit Chabrol au spectateur tout en le cachant au premier intéressé.

Des personnages, se croyant damnés, ne savent pas qu'ils sont sauvés. D'autres, moins pessimistes, sont aveugles aux difficultés qui les guettent. Dans ces deux cas de figure, l'expressionnisme sert « l'ésotérisme » du cinéaste.

La mise en scène et le jeu de mots

Un peu à la manière d'Hitchcock, les clés que Chabrol tend au spectateur (et sans lesquelles le message serait trop imperméable, « ésotérique ») sont à mi-chemin entre la mise en scène et le jeu de mots (ou le lapsus), entre le visuel et le linguistique. Les sentiments intimes des personnages sont souvent livrés à travers des détails « futiles ». Si l'institutrice, dans *le Boucher,* ne dévoile rien d'elle, son comportement la trahit souvent. Ainsi, après avoir passé la soirée avec Popaul, elle ouvre en grand sa fenêtre pour, de toute évidence, se rafraîchir les sens. Une scène similaire apparaît dans *la Femme infidèle* : le couple est couché ; puis, elle (une autre Hélène), visiblement insatisfaite, va ouvrir la fenêtre. Dans *le Sang des autres,* Jodie Foster (encore une Hélène) et son compagnon font de la barque ; désormais, et ainsi que la suite nous le dira, ils sont « dans le même bateau ». Pour démontrer que Charles Thénier (*Que la bête meure*) est incapable d'aller au bout de ses intentions, le personnage ne termine jamais ses phrases. Dans *Poulet au vinaigre,* Chabrol ne dit pas « directement » que madame Cuno et Henriette (respectivement, la mère et la maîtresse de Louis) sont en fait le même genre de femme, possessives et exclusives. Mais il le révèle par un « détail ». Handicapée, madame Cuno est condamnée à se déplacer dans une chaise. L'image suivante, dans une sorte de contre-champ, Henriette, plus vivante que jamais, préfère rouler avec son tabouret plutôt que de se lever. Dans *Masques,* Chabrol filme, du parc où il fait nuit, Legagneur et Wolf qui s'affrontent aux échecs. L'auteur nous fait comprendre que ces deux-là en définitive « jouent » à se faire peur, et que nous, spectateurs, occupons une place privilégiée devant ce combat fratricide.

La fenêtre allumée dans la nuit n'est-elle pas comme l'écran d'une salle de cinéma ?

L'apologie de « l'ésotérisme »

Le prédateur intéresse d'autant mieux Chabrol qu'il lui permet de faire l'apologie de « l'ésotérisme ». Dans *le Beau Serge*, François, employant un langage trop direct, n'arrive pas à dicter sa volonté à Serge. Notre prédateur justifie son manque de souplesse auprès de son ami en arguant que ses conseils entraînent un choix douloureux. De tels arguments attestent que François, faute d'expérience, n'a encore rien compris à la mise en scène. Et force est de constater qu'il nous agace. Dans *les Cousins*, la prédation de Paul/Brialy sur Charles/Blain est dans un premier temps plus fine. Mais peu à peu, le cousin prédateur est amené à radicaliser son action ; il met, par exemple, le téléphone en dérangement pour couper Charles du reste du monde. Ce genre d'action, trop grossier, alerte la victime. Et le pouvoir (de mise en scène) de Paul commence à s'émousser.

Labbé, des *Fantômes du chapelier,* est un « ésotérique » convaincu. Mais la folie (de l'orgueil) le pousse à l'imprudence. Il veut, sans plus aucun secret, communiquer au monde le sens de sa démarche criminelle. C'est la fin pour le chapelier. Un metteur en scène, au sens chabrolien du terme, doit rester caché.

D'une manière générale, Chabrol ne dissimule plus rien de la « mise en scène » de ses prédateurs pour prévenir le « spectateur de leur fin imminente. A étaler leurs talents au public, ces « metteurs en scène » perdent automatiquement leur « ésotérisme ». Toute une période de l'œuvre chabrolienne, depuis *la Décade prodigieuse* jusqu'à *Folies bourgeoises,* évoque (dans la douleur) cette impérieuse nécessité d'opérer en coulisses, « ésotériquement ».

Pour Théo Van Horn, de *la Décade prodigieuse,* le pouvoir c'est le regard. Or le regard, c'est aussi le cinéma. « Le bonheur, dit-il à son épouse Hélène, ce serait de pouvoir te regarder quand tu ignores que je te regarde ». Le monstre en sachant beaucoup plus que ses victimes ne se l'imaginent, la phrase est particulièrement insidieuse : à ce stade du film, Théo demeure encore un excellent « metteur en scène ». Toutefois, à l'instar jadis de Paul/Brialy, il s'enlise dans le subterfuge. Sa supercherie, devenue passablement alourdie, annonce sa fin. Or, la chute de Théo, sous-entendu du « metteur en scène », entraîne (on l'a vu dans « l'expression-nisme chabrolien ») une période de doutes à venir pour Paul Régis, l'universitaire. Cette mort de « l'auteur » laisse une place vacante, un vide qu'il va falloir combler. C'est la problématique des films suivants.

Le « docteur Popaul » (du film du même nom) fanfaronne, exhibe ses exploits libertins. Son erreur est de sous-estimer son entourage, en particulier son épouse Christine que la « mise en scène » trop transparente de l'époux infidèle incite à se venger contre lui. Or, que signifie cette vengeance ? Ne consiste-t-elle pas à se substituer au « metteur en scène » afin de prétendre à ce rôle prestigieux ? L'ex-auteur, « docteur Popaul », mis au rebut dans une chambre d'hôpital, c'est-à-dire à la retraite, est relégué à la fonction moins gratifiante (pour notre homme) d'acteur qu'il confiait (avec condescendance, d'où, sans doute, sa chute) aux autres. C'est une véritable rébellion à laquelle une actrice, Christine, se livre contre son « metteur en scène » jugé certainement trop « optimiste ».

Avec *les Noces rouges,* le phénomène se précise, en même temps qu'il s'affine. Paul/Piéplu, le mari trompé, est exem-plaire dans sa clandestinité de prédateur. Il sait, en silence, tout de la liaison de son épouse Lucienne avec Pierre. Mieux, il en est certainement l'instigateur, espérant ainsi tirer quelques avantages de l'amant. Puis, Paul abat fièrement ses cartes, sa « mise en scène », en demandant à ses victimes de s'em-brasser devant lui, afin, dit-il, de « saisir l'atmosphère ». Le « metteur en scène » se croit victorieux : sa mort est déjà décidée. Les amants tuent Paul parce qu'ils ne supportent pas d'avoir été à ce point dupés. Lucienne et Pierre pensaient « diriger » cette comédie vaudevillesque, en être les co-réalisateurs ; ils n'en étaient que les acteurs. Voilà donc nos amants (re)devenus « metteurs en scène », et ils en oublient Hélène, la fille de Lucienne. L'adolescente méprise ce vaude-ville [1] car elle n'en est que la spectatrice. Son geste (inconsciem-ment) délateur — dans une lettre envoyée à la police, Hélène laisse entendre que sa mère et Pierre ont assassiné Paul —ne trahit-il pas un désir de prendre les rênes de cette histoire, d'en assurer, après Paul, après les amants, le pouvoir de

1. Cf. *les Noces rouges,* « L'être et le paraître ».

« mise en scène » ?

Cette motivation anime aussi Edouard, des *Magiciens,* qui, sans doute lassé d'être spectateur des « visions » de Vestar, de sa « mise en scène », cherche à en être l'instigateur [1]. Avec ce film, Chabrol pose assurément la question de « l'être - metteur en scène », partant de « l'être-auteur ».

Cette question, le cinéaste n'ose même plus se la poser dans *Folies bourgeoises,* où tous les personnages aspirent à devenir « metteur en scène ». Le résultat est que personne ne l'est véritablement (surtout pas Claire, l'héroïne psychopathe). Encore moins Chabrol, qui ayant perdu le sens de « l'ésotérisme », ne cache plus rien de son incapacité (fort heureusement provisoire) à conserver ses prérogatives d'auteur.

L'école de Landru

Landru, le personnage, est un excellent « motard ». Névrotique, il a une vision complaisamment sombre de la Belle Epoque, ce qui permet au spectateur de mieux juger de la triste réalité de ce début de siècle. Landru est aussi « un metteur en scène ». Il est même un brillant directeur d'acteurs (ou plutôt d'actrices) puisqu'il « tient » ses victimes jusqu'à leur dernier souffle. Landru est un expert. Sa « mise en scène » ne sera découverte par ses contemporains que grâce à un hasard (il sera reconnu dans la rue par la sœur d'une de ses anciennes victimes), et non à quelques déviances « optimistes » : ce prédateur n'est pas un orgueilleux, comme le seront Paul/Piéplu des *Noces rouges* ou Labbé des *Fantômes.*

Pourtant, Landru n'est pas bon comédien (le cinéaste a volontairement fait jouer Charles Denner avec une grandiloquence monocorde). On peut donc s'étonner que les victimes tombent si facilement dans les manœuvres « énaurmes » du criminel. Le fait, par exemple, que Landru ne puisse s'empêcher de lâcher des allusions sur son manège morbide en présence de ses futures suppliciées, devrait alerter ces femmes décidément bien naïves. Mais mauvais comédien, Landru n'en est pas moins un fichu cabot qui sait charmer son auditoire, y compris le spectateur [2]. Et Chabrol, fait impor-

---

1. Edouard fait en sorte que se réalisent les prévisions de Vestar qui se dit magicien.
2. La prestation du criminel, lors de son procès, est un modèle du genre.

Avec *Landru*, Chabrol a l'art et la manière.

tant, ne divulgue pas le plus précieux des talents du personnage. Pas une fois Landru n'est vu trucidant ses victimes :
nous sommes loin de Labbé (des *Fantômes*) qui met un point
d'honneur à montrer sa « technique » à Kachoudas qui suit
le criminel. « Esotérique », Landru le sera jusqu'à l'échafaud
(son avocat ne parviendra pas à connaître la vérité). L'homme
garde ses secrets, de « mise en scène », dans l'au-delà.

Chabrol souligne que son personnage est un « metteur en
scène » en utilisant pour une scène la règle théâtrale du
quatrième côté [1]. Cette scène annule toute possibilité de
confusion entre Chabrol et le personnage (idée qui courait
entre le « motard optimiste », André Lapierre, et l'auteur
des *Bonnes Femmes*) en renvoyant le meurtrier à un univers
justement théâtral. De même, Chabrol surcharge l'image de
décors et de couleurs flamboyants : vision ironique de l'esthétique hypocrite de cette soi-disant « Belle Epoque ».

---

1. Le quatrième côté reste invisible, étant occupé par le spectateur qui,
au cinéma, est remplacé par la caméra. Celle-ci filme alors, en plan
général, les trois autres côtés où évoluent les comédiens.

Désormais, Chabrol a l'art et la manière. Il sait concilier l'horreur d'un monde (et d'un monstre) et le plaisir nécessaire d'un produit commercial.

Landru, le personnage de fait divers, vient à point nommé soutenir les théories « ésotériques » de Chabrol. La remarque vaut également pour *Violette Nozière*. Voilà un personnage totalement impénétrable, imprévisible dans sa « mise en scène », foncièrement « ésotérique ». Or le cas « Nozière » a bien existé. Et Chabrol jubile de cette certitude. Le parallèle entre ces deux films, *Landru* et *Violette Nozière,* mérite d'ailleurs d'être prolongé. Comme le criminel charmeur concluait une période difficile pour l'auteur, depuis *les Bonnes Femmes* jusqu'à *Ophélia,* et rompait sans ambiguïté avec « l'optimisme » des premières œuvres, l'adolescente parricide donne l'occasion à Chabrol d'en finir avec la seconde phase délicate de son œuvre (de *la Décade prodigieuse* à *Folies bourgeoises*) pour plonger dans un « ésotérisme » assez radical.

L'humour

L'humour évite à Chabrol les détours laborieux ; il a cette faculté d'atteindre le spectateur « tout de suite », par la rapidité d'une boutade ou d'une situation. *Landru,* sur ce point, reste exemplaire dans l'œuvre chabrolienne. Le personnage n'omet jamais de ne prendre que « deux allers et un retour » en gare de Paris, d'où ils partent, lui et ses victimes, pour sa villa en banlieue. Ses soubrettes parlent sentiments ; il fait ses comptes morbides. Les voisins se plaignent régulièrement de l'odeur épouvantable qui émane d'« à côté », et s'étonnent de cette cheminée qui fonctionne en plein été. Landru, férocement rassurant, répond à l'une de ses victimes, qui craint de lasser son amant, qu'elle ne sera « jamais un poids »...

Violette Nozière, cet autre film « ésotérique », est aussi bien placé au palmarès de l'humour glacial. Violette s'amuse avec son père. Elle le peigne ; il se laisse cajoler en toute innocence. Avant d'empoisonner, elle « joue » à l'empoisonneuse en mettant trop de sucre dans son café : il se plaint qu'elle veut le rendre diabétique.

On ne résiste pas à la tentation de citer quelques fleurons de la panoplie chabrolienne. La conversation « intellectuelle » sur le nouveau roman, animée par l'épouse de Paul Decourt

(*Que la bête meure*). La voix hagarde d'une speakerine qui annonce pour midi trente une émission intitulée « Midi Trente » (*les Noces rouges*). L'humour désigne, indirectement, les failles les plus sensibles de notre société, ici les prétentions cérébrales d'une bourgeoisie frileuse, là le petit écran consensuel de la France pompidolienne.

Pourtant, tout en servant le propos chabrolien, l'humour tend à en masquer la profondeur. On retrouve une ambivalence voisine de celle qui caractérise les « motards » : l'humour révèle le travers et jette simultanément un voile sur lui. La farce confère au récit une rondeur qui à la fois l'explicite et le neutralise. C'est là l'« ésotérisme » de l'humour chabrolien.

Vient alors à l'esprit ce qui serait un contre-exemple : l'humour des *Bonnes Femmes*. Bernadette Lafont exige de se faire appeler « Jane, pas Jeanne », pour faire « plus star », et l'outrance avec laquelle le personnage use de ses attraits est fort drôle. Mais est-ce seulement comique ? Quand Ginette se déguise en chanteuse italienne, pour notre plus grande jubilation, il y a aussi chez elle quelque chose de pathétique [1]. Une scène prétendument drôle symbolise d'ailleurs l'aspect sordide de ce film. L'un des deux fêtards (le petit gros) qui suivent Jacqueline et Jane, arbore avec une infinie tristesse un nez de clown.

Dans les premières œuvres, l'humour chabrolien n'a rien de neutralisant. Il participe au contraire à la mise à vif des sentiments, ou montre cruellement le vrai visage du monde. Voyez l'humour grinçant des *Cousins*. Paul/Brialy œuvre dans le mauvais goût. Réveiller en sursaut un convive d'origine juive par un ordre crié en allemand n'a rien d'une fine plaisanterie. Ce gag, loin de rendre le cousin sympathique, met cruellement en relief son incapacité à respecter autrui. De même, bien plus tard, Edouard, des *Magiciens,* a la fâcheuse manie de s'amuser sur le dos des autres jusqu'à mettre leur vie en péril. Au surplus, le spectacle lamentable qu'offre Vestar, le « magicien », n'est « même pas drôle ». Dans la lignée des *Bonnes Femmes,* le rire nerveux caractérise *le Cri du hibou*. Robert comme Juliette font sourire par

---

1. Les « bonnes femmes » sont tout simplement chaplinesques. Parce que son humour, fortement émotionnel, met à nu sa vision du monde, Chaplin est un cinéaste « optimiste ».

leurs lapsus, leurs actes manqués. Mais leur maladresse tend à renforcer le sentiment de malaise qui transpire tout au long du récit. L'humour désigne l'impuissance des personnages et bloque leurs échappatoires. Ce comique n'évacue pas la gêne, il la souligne. Il faudrait aussi parler des « mots » supposés détendre l'atmosphère d'*Une affaire de femmes,* de ceux de Lucie, la prostituée, ou de Pierrot, le fils de Marie.

Le comique de Labbé se teinte, lui, d'une hystérie qui, vers la fin, met plus mal à l'aise qu'elle ne fait sourire. La morbidité du personnage, que son ironie finit même par dégoûter, fait de sa déchéance un soulagement pour le spectateur. Au contraire, l'inspecteur Lavardin sait rire de tout, y compris de lui-même — il est révélateur qu'à la différence de Labbé, il apparaisse rarement seul. Ainsi avoue-t-il dans un éclat de rire à « Watson », son adjoint, que la photo de la femme, présentée comme son épouse à Hélène Manguin, sort tout droit des fichiers de la police. Labbé était morbide, lui est sordide ; mais, pense-t-il, il faut s'en amuser. Le Lavardin de *Poulet au vinaigre* ne fait pas rire malgré lui ; il est l'acteur conscient de sa drôlerie. Le flic sait retourner à son avantage les situations délicates. Il « tabasse » le jeune Louis qui après quelques claques se retrouve le nez ensanglanté ; puis rattrappe la « gaffe » en conseillant à sa victime, sur un ton mi-paternel mi-ironique, de se moucher. L'inspecteur est cabot (comme l'était Landru).

Par ce parallèle entre *les Fantômes du chapelier* et *Inspecteur Lavardin,* on retrouve symptomatiquement la ligne de partage entre la « sous-protection » et la « sur-protection »[1]. L'humour constitue pour Chabrol un moyen, ou non, de se « protéger ».

Comédien, Legagneur l'est aussi (*Masques*). Son habileté à duper son entourage, ou les protagonistes de ses émissions, amuse le spectateur qui, tout en soupçonnant l'escroc derrière le charmeur, admire le savoir-faire du personnage. Mais, sur le plan de l'ironie, Wolf lui dame vite le pion. Le jeune premier n'a pas son pareil pour faire des bons mots, et frapper là où ça fait mal. Secret, l'humour de ces frères ennemis participe de « l'ésotérisme » du film, qui ne livre ses clés que très progressivement.

---

1. Cf. « Le décor chabrolien ».

La métaphore

Revenons à *Landru*. « Encore du hachis ! » s'écrie le personnage. Chabrol fait allusion au labeur macabre qui attend le
maître de maison, et aussi à la Grande Guerre qui sévit au
moment même où les convives partagent leur repas ; manifes-
tant par cette métaphore commune que ces deux horreurs
n'en font qu'une. Le « mot » peut paraître violent : il passe.
Quand Chabrol parlait plus directement, dans *les Bonnes
Femmes,* ça ne passait pas. Cet usage de la métaphore que
Chabrol inaugure avec *Landru* constitue assurément une étape
supplémentaire vers « l'ésotérisme ». « L'optimisme » des
Bonnes Femmes nommait pour désigner ; tout l'art de *Landru* est de désigner sans nommer.

Depuis, Chabrol est devenu expert dans l'art de la métaphore. Dans *Violette Nozière,* la mère de l'adolescente, Germaine, a jadis « fauté » avec un notable, semble-t-il fort
connu. Or, Violette barbouillant la statue grandiose d'un
homme (sans doute illustre) laisse entendre qu'elle ne respecte aucun « père », pas plus le vrai, monsieur Emile,
auteur de la « faute », ou le faux, Baptiste, que tous les
autres. Dans *Poulet au vinaigre,* l'acharnement de madame
Cuno à cisailler son steak indique sa répulsion pour la chair
et sa détermination à réduire ses ennemis, les notables, dont
elle ne veut faire qu'une bouchée, et qui cette fois semblent
à portée de sa fourchette (l'un d'eux, Filiol, est d'ailleurs
boucher).

Que Charles Masson, dans *Juste avant la nuit,* se passionne
subitement pour une partie de billard français, ne doit pas
étonner : cette boule qui ne touche aucune des deux autres,
« c'est » lui ne parvenant pas à avouer sa faute à sa femme
Hélène et à son ami François. Les briquets de *la Femme
infidèle* et du *Boucher* « sont » ces deux Hélène qu'il faut
peu de chose pour allumer [1]. Popaul, du second film, contient,
de par sa profession, « la boucherie universelle ». Associé à
l'homme de Cro-Magnon, il « est » la preuve vivante d'un
mal accompli par « tous » les hommes, depuis la nuit des
temps. A la fin de *Que la bête meure,* le canard que Thénier
mange vaut pour Decourt que son assassin (présumé) peut,
enfin, « dévorer » [2]. La période pompidolienne est féconde

---

1. On sait l'importance de ce briquet dans *le Boucher.* Cf. « L'être et
le paraître ».
2. Jean-Pierre Oudart, *Cahiers du cinéma* n° 218, mars 1970.

en métaphores. Non qu'ailleurs (comme on l'a vu) Chabrol abandonne le procédé, mais alors cette métaphore perd beaucoup de son « ésotérisme ». Sa signification apparaît trop évidente, délibérée.

Ainsi, *Alice ou la dernière fugue,* en somme une cascade de métaphores, prend, par exemple, une pendule arrêtée, ou un disque rayé, pour parler du temps suspendu. Dans *les Liens du sang,* les mains ensanglantées sur la vitre du commissariat dénoncent d'emblée leur propriétaire, Patricia, comme la coupable du meurtre de sa cousine. Ayant anéanti le peu de mystère qui entoure le film, la métaphore, au contraire, livre, en tout début de récit, une explication définitive, et contribue à « l'optimisme » de cette œuvre mineure.

Même chose dans *Masques.* Prédateur, agent du mal, « metteur en scène », Legagneur, animateur de télévision, doit agir en coulisses. Or...

« Le moustique et le diplodocus » : Masques [1]

L'animateur aime les métaphores parce que, dit-il à juste titre, « c'est la forme la plus subtile et la plus puissante d'exprimer des idées complexes ». L'homme raconte à Wolf l'histoire du moustique et du diplodocus. Le premier, fragile, a eu raison du temps ; le temps a eu raison du second, colosse. Le moustique doit sa survie à la ruse ; et le diplodocus sa mort à sans doute un manque de vigilance. L'histoire ne tombe pas dans l'oreille d'un sourd. Wolf recherche les moments de faiblesse de son adversaire. Quels sont-ils ? Notre « diplodocus » a la parole facile ; il voit et entend tout. Comme le moustique, Wolf va donc attaquer la nuit durant laquelle, pour dormir, Legagneur porte un bandeau sur les yeux et se met des boules Quies, où par conséquent il ne parle pas, ne voit pas et n'entend pas. L'animateur aurait mieux fait de se taire.

Legagneur, toujours friand de métaphore, a offert à sa filleule, Catherine (droguée et prisonnière de son parrain), un perroquet de bois enfermé dans une cage : inutile de com-

---

1. Rappelons l'histoire, succinctement : sous le couvert d'enquêter sur la disparition de sa sœur Madeleine, intervenue chez Legagneur, Wolf s'intéresse en fait à Catherine, la filleule de Legagneur, et... à son argent. Un dernier « détail » : Legagneur collectionne les « masques » du répertoire.

Masques, le beau titre.

menter. La « protégée » recueille alors un oiseau blessé (sans doute par identification inconsciente à celui-ci) qui remplace le perroquet. Craignant pour sa voix une allergie à la plume, Legagneur jette violemment le volatile par la fenêtre. Catherine comprend en un instant tout ce qui lui a échappé durant des années. La métaphore, là encore, a parfaitement fonctionné contre celui qui s'en dit l'expert.

Legagneur « est » la télévision, et Wolf, le cinéma. Le second ayant raison du premier, *Masques* prend parti pour le cinéma contre la télévision [1]. Mais sans tomber dans la cinéphilie nostalgique.

Manu (le sommelier de Legagneur), très proustien à ses heures, s'écrie « la petite Madeleine », en souvenir de la sœur de Wolf, qui voulait faire du cinéma et aujourd'hui disparue. Voilà notre septième art relégué à un rang bien futile ! Quant au M (de Madeleine) que Wolf inscrit sur une glace, cela tient d'une métaphore — de Lang (*M le Maudit*) donc de la cinéphilie — trop explicite ou « optimiste », pour

---

1. Cf. « L'être et le paraître ».

Cinémathèque française

être sérieusement retenue. Ce n'est pas dans cette nostalgie complaisante que le cinéma-moustique résistera aux appétits gloutons de la télévision-diplodocus. Un cinéaste survivra s'il sait enrober son discours, ses « idées complexes », par des histoires simples, « subtiles » et « puissantes ». Simple ne signifie pas simpliste : Chabrol récuse la clarté des métaphores « optimistes », celles dont Legagneur fait grand usage, même si l'auteur les utilise parfois, peut-être justement pour désigner l'aspect mineur de certains de ses films.

Ces métaphores grossières, ajoute le cinéaste, sont uniquement des images, au sens symbolique et télévisuel du terme, et limitées dans leur signification. « C'est déjà pas mal », estime par contre l'animateur qui parle en homme de télévision ; soucieux que le discours porté par le petit écran soit surtout compris de tous. Comme Legagneur est « optimiste » dans ses métaphores, la télévision l'est dans la forme d'expression, dans son contenu. Elle n'en dévoile que mieux ses carences, et, par contraste, ce qui fait la supériorité du cinéma.

Ce « contraste », dit en substance Chabrol qui se fait ici l'avocat du diable, est peut-être la chance du cinéma. Encore ce dernier doit-il rester « ésotérique ». *Masques,* le beau titre...

LA MORALE ET LE CINÉMA

Le regard du moraliste

La jubilation que procure la fiction chabrolienne permet à l'auteur de piéger son public. S'étant amusé des aventures que les personnages vivent à leurs dépens, le spectateur est obligé d'affronter le problème moral qui découle de ces tribulations souvent meurtrières. Sa mise à l'épreuve est d'autant plus âpre que Chabrol ne facilite pas la tâche. L'auteur ne condamne pas l'attitude de ses protagonistes, au demeurant contestable ; ce qui reviendrait à répondre (à la place du spectateur) aux questions que posent ses films. Chabrol n'est pas un moralisateur mais un moraliste. Ses films sont un peu des essais sur pellicule.

Quelles sont ces « questions » chabroliennes ? L'altruisme de François, dans *le Beau Serge,* n'est-il pas un moyen pour lui de conforter un sentiment, déjà tenace, de supériorité intellectuelle ? Sa faute n'est-elle pas d'appréhender autrui avec un regard d'analyste où l'amour n'aurait pas sa place ? Si, dans *les Bonnes Femmes,* le meurtrier de Jacqueline est assurément le motard, n'y a-t-il pas implicitement une responsabilité collective ? Landru est dépourvu de remords, mais qu'est-ce que cette horreur au regard de la folie meurtrière de la première guerre mondiale, contemporaine des méfaits de ce célèbre criminel ? Y aurait-il une horreur « normale » et une autre « abjecte » ? L'institutrice a-t-elle une part de responsabilité dans les meurtres de Popaul (*le Boucher*) ? Ces questions obligent bien souvent le spectateur à se remettre en cause, lui qui « avant » était si sûr de ses jugements.

Le credo du moraliste

Un cinéaste moraliste s'abstient de filmer à la première personne. C'est là un des premiers principes chabroliens, dans lequel on trouve de la pudeur mêlée à la conviction que parler de soi n'intéresse pas le public. Dès *les Cousins,* son second film, l'auteur fait appel au scénariste Paul Gégauff (qui collaborera à une douzaine de scénarios). On mesure le chemin parcouru entre ce film et *le Beau Serge,* entièrement écrit par Chabrol.

François, le prédateur du *Beau Serge,* semblait paralysé par le doute. Paul/Brialy, son homologue des *Cousins,* jouit d'une plus grande assurance. La fragilité du premier s'explique (en partie) par l'implication personnelle de l'auteur dans son projet. Comme beaucoup de jeunes cinéastes, Chabrol avait puisé dans ses souvenirs d'adolescence le sujet de son premier film. Et il est possible que ce film souffre un peu du manque de distance du réalisateur.

Deuxième règle : un moraliste « n'affirme pas », la culpabilité des uns, l'innocence des autres ; ce qui l'amène à se méfier de toute certitude. Chez Chabrol, les certitudes sont rarement inattaquables, encore moins définitives. L'auteur du *Beau Serge* se moque de François qui pour toute défense déclare aimer « la vérité » sans voir que celle-ci, contestable, épouse les formes de son malaise. Le cinéaste pense au contraire que le monde est composé d'une multitude de vérités, souvent contradictoires.

La vérité est donc partielle et provisoire, liée à un contexte précis. S'il change, elle est remise en cause. *Le Scandale* illustre (à l'excès) cette précarité. Le film montre un monde de folie à travers les yeux de Paul Wagner (qui souffre d'un choc cérébral). Pour le spectateur, cette vision paraît d'abord subjective : elle est le fruit de l'imagination malade de Wagner. C'est lui qui est fou, et non le monde. Mais progressivement, cette certitude est contestée, jusqu'à ce que s'inverse la proposition. Chabrol pousse volontiers le paradoxe, parfois jusqu'au non-sens, dans ses films « excessifs », « baroques », comme *les Godelureaux, Nada* ou *Folies bourgeoises,* où il semble prendre un malin plaisir à retarder indéfiniment l'émergence d'une vérité.

Les « lyriques » et leur mise en scène

Chabrol attribue volontiers l'idée de certitude à un enthousiasme déplacé, déconnecté de la réalité. « *Découvrir une réalité sublime, dit-il, cela me paraît improbable. J'ai rarement vu des choses sublimes cachées... Evidemment, on peut aussi faire des films d'exaltation. Mais c'est un mauvais service à rendre. Les gens sont prêts à s'en gargariser. Ce qui est beau, c'est montrer l'épine, la couronne d'épines si vous voulez »* [1].

L'œuvre chabrolienne est jalonnée de personnages que nous appellerons « lyriques » et qui ne cessent d'exalter des vérités qu'ils croient inébranlables. Pour revenir au *Beau Serge,* François doit son obsession de se croire le sauveur à une exaltation aveuglante, du reste condamnée par le curé du village.

Pour Chabrol, l'esthétisme encourage le « lyrique » dans son exaltation : il est donc perçu comme un danger supplémentaire. Paul/Brialy, des *Cousins,* arbore une casquette allemande en déclamant gravement un poème de Goethe. Plus tard, la musique de Wagner accompagnera son geste meurtrier (bien qu'involontaire) sur Charles/Blain. Le « beau » joue un vilain tour à ce Paul : Goethe et Wagner l'enferment dans la certitude que l'amour est une donnée abstraite. Richard, d'*A double tour,* augmente sensiblement la puissance de son pick-up pour faire croire à son entourage qu'il écoute religieusement Mozart dans sa chambre, alors qu'il est en train de tuer Léda. Son esprit vacille pour ne pas avoir

Cinémathèque française

Ne manque ici que la musique de Wagner. *Les Cousins.*

1. Interview, *Télérama* n° 635.

retrouvé dans la réalité la perfection mozartienne. Face à ce modèle « sublime », le quotidien envahi « d'épines » devient insupportable à cet esthète.

Charles Thénier, de *Que la bête meure,* est à ranger parmi les prédateurs chabroliens. A ce titre, l'auteur, dans la première partie du film, autorise le personnage à faire sa propre « mise en scène » (après les Albin, Landru et autres). Notre « metteur en scène » se lance alors dans de longs panoramiques, langoureux, des mouvements amples, très coulés ; « ses » images sont soutenues par une musique romantique [1]. « Son » récit spleenétique ne fait que l'enfermer un peu plus sur lui-même. Désormais, Thénier n'est plus vraiment en phase avec la réalité. Sa volonté (légitime) de trouver Decourt, le meurtrier de son fils, se métamorphose en mission. Par ces choix « cinématographiques », le justicier rejoint les criminels qui puisent dans le « lyrisme » leur énergie destructrice.

Ecœuré par la boucherie guerrière que le monde se refuse à voir, Landru éprouvait une sorte de sur-conscience [2]. Seul devant l'horreur, il se sentait déifié, juge suprême des frontières du bien et du mal. Fort de sa supériorité à toutes les règles de la morale sociale, Landru tuait Andrée (Catherine Rouvel) pour sa seule beauté, jugée anachronique par le criminel dans « ce monde de laideur ».

Thénier est un romantique « désespéré » qui a perdu la lucidité pour s'être apitoyé sur lui-même. C'est précisément en ces termes que le médecin, du *Cri du hibou,* réprimandera Robert pour sa faiblesse. Ce dernier ne tuera pas ; mais, à force de souffrances intérieures un peu vaines, de crises de lyrisme mal maîtrisées, il n'en sera jamais vraiment sûr, tant il suscitera la mort autour de lui.

Dès son entrée en scène, Decourt (nous revenons à *Que la bête meure)* bouscule l'univers de Thénier. Chabrol en profite pour reprendre un pouvoir (de mise en scène) qui n'était que prêté. Par son « lyrisme », la solennité de son discours, Thénier espérait voiler ce qui est abject en lui. La mise en scène de Chabrol, qui a le dernier mot, étouffe, rapidement,

---

1. Il s'agit bien de « mise en scène », lorsqu'au sommet d'une falaise au-dessus de la mer, et dans la solitude, Charles domine les éléments, tout imprégné des envolées « lyriques » de violons infatigables.
2. Cette notion, de « sur-conscience », se retrouve chez beaucoup de criminels chabroliens. Cf. « L'être et le paraître ».

ses ambitions. Dépourvue de mouvements gratuits, peu sujette à la complaisance esthétique, elle est la démonstration que l'imaginaire de Thénier contient les germes du chaos.

En un mot, Chabrol veut dire « l'invraisemblable vérité » sur ce personnage qui pensait nous duper avec un scénario « lyrique » à la *Vertigo*.

Fritz Lang

L'Invraisemblable vérité n'est pas cité par hasard. Chabrol considère que chez Lang « *la caméra n'exprime jamais le point de vue d'un personnage particulier mais son point de vue à elle* » [1]. C'est bien ce rôle qui, dans un second temps, incombe à la caméra dans *Que la bête meure*. Et celle-ci, au nom d'une clairvoyance à laquelle a droit le spectateur, ne craint pas une certaine sécheresse dans le style. Là encore, l'éthique langienne est la référence : « *Ce qui me frappe chez lui* (Lang), dit le cinéaste : *son extraordinaire effort de lucidité, au sens le plus noble du terme, son espèce de cheminement : aller vers une simplification de tout (...) C'est devenu quelque chose de tellement précis qu'on pourrait presque reprocher (ce que je ne fais pas) à certains films d'être devenus des squelettes de films normaux* » [1]. Un tel propos, fort intéressant, montre combien Chabrol est lui-même attentif à tout ce qui pourrait égarer le récit, ou détourner celui-ci du discours fixé à l'avance jusque dans les moindres détails, quitte à paraître l'affaiblir.

Révélateur est le jugement du cinéaste sur *Apocalypse Now*, film « lyrique » par excellence : « *On tourne une masse de choses, puis on les articule comme on peut, on reprend des trucs de la fin vers le milieu... mais le résultat est fort. Quant à moi, tourner ainsi ne m'amuse pas, d'une part, et, d'autre part, j'aurais bien trop la trouille de me lancer dans une opération dont je ne connais pas les aboutissants. Alors ce que je gagne en clarté, je le perds en effets* » [2]. Cette dernière phrase aurait pu être signée Fritz Lang.

_____

1. « Fritz Lang vu par... » ; Interview, *Cinéma 82*, juin, n° 282.
2. Interview, *Cinéma 82*, septembre, n° 285. Que Chabrol s'arrête sur ce film m'étonne pas. Le discours de Coppola l'a certainement intéressé. Kurz (Brando) a d'ailleurs quelque chose de Landru : lui aussi aurait mal digéré la philosophie nietzschéenne. Mais là où Chabrol ne suivrait plus Coppola, c'est lorsque ce dernier fait un film « lyrique », exalté, à partir d'un personnage foncièrement « lyrique ».

Hitchlang

Dès ses premiers films, Chabrol cherche une réponse cinématographique à sa hantise des vérités exemplaires, des « réalités sublimes » ; lesquelles sont pour lui émanations du « lyrisme » dans ses formes les plus diverses. Cette réponse,
l'auteur la trouve dans le cinéma de Lang où la caméra « a
son point de vue à elle ». Mais en partie seulement. *Que la
bête meure* est certes exemplaire en ce qu'il « objective » le
« lyrisme » de Thénier. Mais avoir évoqué *Vertigo*, à propos
de ce film, ne tenait pas non plus du hasard : Chabrol
découvre l'autre partie de sa réponse grâce à Hitchcock
dont l'œuvre repose sur le seul « point de vue du personnage ». Le protagoniste hitchcockien n'incarne-t-il pas les
dérives psychologiques les plus tordues, encouragées par un
« lyrisme » parfois morbide (*Vertigo,* justement) ?

La réponse cinématographique chabrolienne consistera donc
à montrer « le point de vue du personnage », symbolisé par
le plan subjectif cher à Hitchcock, pour dans un second
temps « objectiver » ce point de vue par celui de la caméra,
typiquement langien. Hitchcock et Lang représentent ainsi
deux modèles complémentaires, intimement solidaires dans
l'approche chabrolienne.

Cette objectivation, dans laquelle Chabrol voit le meilleur
antidote au « lyrisme », dépasse vite le seul domaine de la
forme cinématographique. Certains thèmes hitchcockiens deviennent alors pour l'auteur français un outil autrement plus
efficace.

Drôles d'aveux

Chez Hitchcock, l'être « fautif » qui n'avoue pas est condamné
à la torture morale ; à l'instar du père Logan, de *I Confess,*
le film d'Hitchcock dans lequel la figure de l'aveu est la plus
appuyée.

L'aveu tient aussi une place de choix dans la dramaturgie
chabrolienne. Le thème est particulièrement explicite dans
Juste avant la nuit. Charles Masson souffre de ne pouvoir
dire la vérité à ceux, Hélène et son ami François, dont il
pense ne pas mériter l'amour [1]. Et cette incapacité à avouer

---

1. Rappelons que Masson vient de tuer sa maîtresse, Laura, laquelle
n'est autre que l'épouse de son meilleur ami, François !

tourne à l'obsession. La référence hitchcockienne apparaît donc clairement à travers cette épreuve torturante qui « précède » l'aveu de Masson. Le spectateur fait siennes les préoccupations « chrétiennes » du personnage, et adhère totalement à ce « lyrisme » intérieur. Mais qu'en est-il « après » l'aveu ?

Masson avoue son crime à François, non pour se libérer la conscience mais dans le but de vérifier la droiture de son ami ; il vivait dans l'espoir secret que François reviendrait sur son refus du « droit de se poser en victime » (celui-ci était conscient qu'il ne formait plus vraiment un couple avec Laura). En vain : « l'ami » conseille à Charles « d'enfouir toute cette histoire ». Masson ne se sentait pas digne du pardon de sa femme (à qui il s'est déjà confessé) ; l'amitié de François l'écrase. Cette volonté commune d'oubli, qui revient à une preuve d'amour, enfonce un peu plus un être éprouvé par le sentiment torturant d'une trahison qui (avec d'abord Hélène, puis François) ne trouve aucune justification. L'apparence chrétienne de ce film est décidément bien trompeuse. Et, mise à dure épreuve est la référence à Hitchcock chez qui l'aveu jouit toujours d'un pouvoir libérateur.

Le personnage chabrolien n'avoue pas forcément pour se libérer d'une faute qui l'obsède. Quant à ses aveux, on peut douter de leur véracité. *L'Œil du malin* repose entièrement sur cette interrogation. Albin (qui nous raconte son histoire), avoue avoir joué un rôle dans la mort d'Hélène Hartmann. Mais nous dit-il toute la vérité ? L'aveu n'a de sens que s'il est limpide. Les confessions des héros hitchcockiens le sont toujours ; chez les personnages chabroliens, le « lyrisme » a parfois le goût d'une mauvaise plaisanterie. Que dire de leurs « vérités sublimes » !

Plus que des vrais soupçons, des soupçons vrais

La Femme infidèle reprend à la lettre le délire paranoïaque de l'épouse de *Soupçons*. Pour une raison obscure, Charles Desvallées ne croit pas sa femme, Hélène, qui prétexte une erreur au téléphone. Chabrol n'explique pas. Un faux raccord, assez violent, entre Charles et Hélène, traduit l'incrédulité du mari, et souligne qu'entre elle et lui il n'y a plus d(e) « (r)accord » possible. Après cette bizarrerie (il n'y a pas d'autre mot), Desvallées est certain que sa femme le trompe. Il découvre quotidiennement des « preuves » à sa conviction,

Entre elle et lui, il n'y a plus d(e) « (r)accord(s) » possible(s).
La Femme infidèle

et s'enfonce dans la spirale du soupçon, un enlisement progressif dont chaque étape semble l'éloigner un peu plus de la raison. Desvallées se fait traiter de « con » par un type saoul : il en déduit que sa femme le cocufie. Hélène dit aller chez le coiffeur et elle n'y est pas. Elle va revoir un film qui ne lui avait pas plu à la première vision, puis justifie mal cette contradiction. Charles se propose de la mener quelque part : elle accepte « mais » sur un ton étrange...

La référence hitchcockienne se délite pourtant quand, au milieu du film, Charles voit ses soupçons vérifiés ; alors que le Maître, le plus souvent, les annulait dans ses dénouements. Desvallées porte sur sa « femme infidèle » un jugement négatif que nous sommes obligés d'avaliser dans un second temps. Et Chabrol confirme, cinématographiquement, la pertinence de ces intuitions que nous pensions douteuses. Le mari dépose sa femme dans Paris. Lui s'en va. Hélène quitte également le champ « puis réapparaît ». Nous voyons enfin sa double vie. Charles avait raison de soupçonner son épouse. On le croyait paranoïaque : il nous montrait la vérité.

Chabrol contredit rarement l'être qui soupçonne. Albin de *l'Œil du malin* n'a pas tort quand il devine le mensonge du couple Hartmann. Pourtant, nous nous méfiions du reporter, au vu de sa personnalité immature, de son comportement puéril face à Hélène Hartmann. Or, la névrose se nourrit d'une part de vérité ; et dans l'imagination malade du personnage, il y a « aussi » l'infidélité, réelle, d'Hélène.

Une projection sans point de vue

Chabrol a recours à d'autres subterfuges pour détruire « le point de vue du personnage », si fort dans le récit hitchcockien qu'il encourage l'identification. Le cinéaste français use notamment de regards « autres » que celui du protagoniste principal. Pour *le Beau Serge,* Chabrol, par fidélité à Hitchcock, aurait pu se contenter de traduire le regard, catastrophé et voyeur, de François sur Serge, de manière à ce que nous, spectateurs, épousions cette vision alarmiste (qui indirectement rehausse la personnalité de François). Or, il n'en est rien. Cette vision est nuancée, presque annulée, par le regard de Serge sur François. En effet, François « se projette » dans Serge, et réciproquement. Ayant affaire à deux « projections » contraires, le spectateur ne peut s'identifier à l'une plus qu'à l'autre. Et le « lyrisme » de François perd alors toute sa force.

Se raconter

James Stewart, dans *Fenêtre sur cour,* découvrait en même temps que nous l'action de l'autre côté de la cour ; il n'en savait pas plus que le spectateur. *L'Œil du malin* obéit à une logique différente. Albin, lui, « sait », et raconte une histoire passée que le spectateur cherche à vérifier, découvrant à la fois l'histoire et les mensonges qu'elle recèle, dans la bouche d'un narrateur de plus en plus suspect.

La remarque est valable pour tous les personnages qui se racontent et dont le discours s'entache forcément de subjectivité. Grâce à un flashback, Lucienne (des *Noces rouges*) se souvient, pour nous et elle-même, des prémices de son idylle avec Pierre. Le récit est assez flatteur pour la narratrice et son amant. Les billets doux, les rendez-vous en cachette, sont autant d'exploits qui reviennent à considérer Paul/Piéplu, le mari de la femme adultère, comme une marionnette. La vérité est pourtant toute autre : Paul sait tout de la liaison de sa femme Lucienne avec Pierre. Et très vite, le spectateur cesse de s'identifier aux amants, et à leur aventure.

Déjà, dans le film précédent, *Docteur Popaul,* les exploits de Belmondo en libertin étaient appréhendés à travers le filtre du flashback. De sa chambre d'hôpital, Popaul, convalescent, racontait son passé au spectateur, lequel ne disposait donc que d'une seule version : celle d'un narrateur enclin à pavoiser, peut-être pour masquer son triste sort (vrai, celui-là !). Croupir au fond d'un lit n'a effectivement rien de brillant.

Ce recours au flashback vaut d'ailleurs d'être souligné. Après les récits linéaires des films précédents (*la Femme infidèle, le Boucher...*), l'utilisation de ce procédé correspond à une période délicate de l'œuvre. En morcelant ses films, le cinéaste « dit » au spectateur qu'il n'assume plus tout à fait sa fonction de « raconteur », donc d'« auteur ».

La voix off

Comme Albin (*l'Œil du malin*) parlait a posteriori de ses aventures passées, Thénier (*Que la bête meure*) « dit » au spectateur le journal qu'il écrit, et qui mémorise ses intentions criminelles à l'encontre de Decourt. Tandis que la voix off, le journal, décrit les desseins funestes du personnage, l'image montre ses actes. Le spectateur est alors frappé par une distorsion croissante entre ce que dit la voix off et ce que montre le film. Dans le journal, abattre Decourt est un véritable mot d'ordre : « Pas une seconde, écrit Thénier, ma raison ne faillira ». Les faits (l'image) ne donnent pas exactement cette impression. Ses premières rencontres avec Hélène, par qui il retrouve Decourt, sont hésitantes — l'échéance sexuelle augmente sa gêne. Sa nervosité contraste avec la détermination de ses écrits. Et la voix off finit par saper le désir de vengeance dans l'esprit du spectateur. On prenait Thénier pour un noble justicier ; c'est un lâche.

Des énigmes objectivées

Chabrol n'étonne pas lorsqu'il se refuse à résoudre (complètement) ses énigmes policières. Une telle résolution supposerait en effet l'éviction d'autres solutions, et la mise en valeur d'une vérité définitive (« sublime »). L'auteur se confronte alors au problème suivant : comment faire admettre au spectateur un polar (partiellement) irrésolu ? *Que la bête meure* est encore exemplaire.

Decourt meurt empoisonné. Chabrol ne nomme pas le coupable, Thénier ou le fils de Decourt (qui nourrit une haine féroce à l'égard de son père) ; mais il travaille à l'oubli de cette non-résolution. Innocent ou pas, Thénier ne sort pas glorieux de cette histoire. Coupable, il disparaît en mer pour ne pas affronter la justice des hommes. Innocent, il n'en a pas moins encouragé l'acte meurtrier du fils ; et se suicider sans signer sa responsabilité est aussi de la lâcheté. Voilà notre soif de connaissance du meurtre devenue obsolète. La vérité, une et définitive, n'est pas seulement introuvable, elle est, dit Chabrol, inutile. On ne pouvait trouver meilleur argument.

Inspecteur Lavardin est en apparence moins radical : le film consent à la résolution policière. C'est Véronique, la fille d'Hélène Manguin, qui a tué Raoul Mons, lequel voulait la faire chanter. L'adolescente a d'ailleurs pour elle la légitime défense. Or, cette résolution se trouve détournée. Lavardin choisit d'inculper un innocent, Max, « coupable » par la vie qu'il mène (l'homme tient une boîte de nuit, lieu de toutes sortes de trafic), à la place de la vraie coupable, innocentée par une existence sans (gros) reproches, si ce n'est quelques mensonges à sa mère.

« *Mais imaginons,* ajoute Chabrol, *qu'il* (Lavardin) *se conduise comme un flic normal, qu'il embarque cette pauvre petite fille si charmante et qu'il laisse en liberté l'effroyable margoulin vendre des poudres blanches dans son arrière-boutique, ce ne serait pas mieux. La solution est au choix du client !* » [1]. L'auteur dit qu'accepter la résolution « normale » d'un problème revient à se soumettre aux apparences faciles, et que celles-ci cachent d'autres énigmes (non policières mais morales) bien plus opaques.

Premiers atermoiements lyriques

Pourtant cette irrésolution parfaite ne poursuit pas toujours « jusqu'au bout » sa course vers ce point que les détracteurs de Chabrol nomment néant, et qui est en fait « la » réflexion libre, c'est-à-dire libérée de tous les modèles de pensée. Certes, et pour reprendre l'exemple d'*Inspecteur Lavardin,*

---

1. Interview, *Cahiers du cinéma* n° 381, mars 1986.

le cinéaste ne fait aucun commentaire quant au choix de son personnage d'inculper Max et d'innocenter Véronique. Mais le spectateur (ayant rapidement oublié les fausses notes de son « flic ») suit l'inspecteur dans sa décision. En d'autres termes, il cautionne « le point de vue du personnage » au détriment de « celui de la caméra ». Durant tout ce film, les cinémas de Lang et d'Hitchcock se sont livrés une guerre sans merci à l'issue de laquelle le second est sorti vainqueur : le spectateur a fini par « se projeter » dans la psychologie de Lavardin. Chabrol accepterait-il que son public se reconnaisse dans le « lyrisme » d'un personnage convaincu d'avoir opéré le bon choix (comme jadis, François du *Beau Serge*) ? C'est (quand même) oublier que, sur ses décisions, Lavardin ne se fait aucune illusion. Il n'a pas (comme François, ou Thénier) l'âme d'un Grand Inquisiteur. Lui importe seulement de découvrir « un peu de vérité » (*Poulet au vinaigre*).

Fritz Lang n'était pas sensible au « lyrisme » de Thénier. Il pensait le personnage coupable, par conséquent démoniaque. Chabrol devait apprécier une telle conviction [1]. Mais pour Lang, dont les personnages sont toujours relégués à une fonction neutre de « récitants », l'image de Thénier risquait certainement de fausser le discours du réalisateur : Charles allant se perdre en mer « avec dignité », ne pouvait pas ne pas arracher quelque compassion au public.

Entre le discours et le regard

Pourtant, qui sait si cette compassion n'est pas désirée par Chabrol lui-même. Lang pense qu'au cinéma le point de vue d'un auteur d'une part, des personnages d'autre part, fonctionnent comme deux forces contraires. Le signataire de *Que la bête meure* les conçoit plutôt comme complémentaires.

Chabrol bannit le « lyrisme » dans son discours, mais le regard qu'il porte sur ses personnages n'est pas aussi froid que celui de Lang.

La raison profonde du « soutien » à Lavardin est peut-être que le spectateur « comprend » l'homme qui sauve Véronique parce que celle-ci aurait pu être la fille qu'il n'a pas eue avec Hélène Manguin [2]. Le cœur a ses raisons que la

---

1. Interview, *Positif* n° 115, avril 1970.
2. Hélène a été la maîtresse de Lavardin. D'elle, il voulait une fille qu'elle n'a pas pu (ou voulu) lui donner. Depuis, Hélène a bien eu un enfant, Véronique, mais d'un autre, Manguin.

raison (morale) ignore : le public, et Chabrol, sont prêts à oublier la bénédiction de Lavardin à l'escroquerie à l'héritage orchestrée par Claude [1]. Sans l'échec privé de Lavardin (sa non-paternité), ses décisions de flic seraient considérées avec moins d'indulgence. Et le film baignerait alors dans des eaux boueuses [2]. C'est à ce niveau, chez le cinéaste, que son discours et le personnage se complètent harmonieusement.

Le Boucher prend acte de ce paradoxe (apparent) entre le discours de l'auteur et son regard sur les personnages. Les contradictions intimes de l'institutrice et de Popaul entachent le monde, à l'image des gouttes de sang qu'une petite fille innocente reçoit sur le front. Face à cela, semble dire Chabrol, leur complicité dans le crime, l'aveu, chrétien, du boucher, toutes ces figures hitchcockiennes sont accessoires. Pourtant, Hélène et Popaul ne sont pas seulement les « récitants » d'un tel discours. Ces deux êtres, malgré les terribles conséquences de leurs erreurs mutuelles, demeurent « humains ». L'ultime regard du spectateur, et de Chabrol, est celui d'une compréhension généreuse, qui rappelle le « Chacun a ses raisons » de Renoir acteur (et auteur !) dans *la Règle du jeu*.

La sensibilité contre l'esprit critique

Cela dit, Chabrol est loin de convoquer « ouvertement » la sensibilité du spectateur. Le cinéaste abandonne ce domaine, la fibre sentimentale, à, par exemple, Truffaut, dont la thématique reste assez éloignée des obsessions chabroliennes, plus morales que sentimentales [3]. Ou alors, le sensible n'est nommé explicitement que pour mieux être fustigé. Dans *Masques,* sensibilité est synonyme d'escroquerie. Est éreinté « le langage du cœur », pour reprendre l'expression de Legagneur.

Le film débute par l'émission « Bonheur pour tous » (tout un programme) qui met en concurrence de bons petits vieux sous l'œil hospitalier mais carnassier du maître de séance. Le tout baigne dans un rose écœurant. L'attitude de l'anima-

1. Claude, le frère d'Hélène Manguin, est à l'origine du mariage de sa sœur avec Mons, lequel vivait richement de sa plume.
2. Pascal Bonitzer avoue sa « gêne » face à ce long métrage (« Jeu de massacre », *Cahiers du cinéma* n° 381, mars 1986).
3. Interview, *Cahiers du cinéma* n° 339, septembre 1982.

Chacun a ses raisons. *Le Boucher.*

teur est boursouflée et convenue ; la flatterie, empoisonnée
(« Ils sont tellement gentils tous nos amis »). L'émotion se
calcule en fonction des cadeaux obtenus. Chabrol a bien
regardé certaines émissions, défendues par leurs producteurs
au nom de leur caractère dit populaire ; et Legagneur tient
évidemment leur discours : chez lui, « tout est affectif ». Il
ne montre (comme une certaine télévision) qu'une version
du monde, celle de la sensiblerie facile, sans profondeur (de
champ, comme « Bonheur pour tous », avec son opacité
rosâtre).

Chabrol ne s'oppose pas à la sensibilité mais il constate
qu'elle se confond vite avec de la sensiblerie, véritable fléau
pour l'esprit critique parce qu'outil privilégié des fomentateurs de « vérités sublimes ».

L'amour

C'est peut-être par souci de ne pas faire le jeu de ces

171

fomentateurs que Chabrol « n'exalte pas » les vertiges de l'amour. Or, une fois de plus, l'apparence est trompeuse. Le rejet des sentiments, plus encore de la passion, renforce paradoxalement l'idée d'une thématique « amoureuse ». Comme si ce gommage était la preuve même de l'existence du thème.

A regarder le travail du cinéaste, il n'est en effet pas interdit de lire les récits chabroliens comme (aussi) des histoires passionnelles douloureuses, plutôt assumées dans les films faibles (*le Sang des autres*), beaucoup plus souterraines dans les œuvres abouties, à commencer par *les Fantômes du chapelier* [1].

Labbé explique dans une lettre les raisons de ses nombreux meurtres et notamment celui de sa femme, Mathilde. Il écrit : « Certains prétendent que j'ai voulu me rendre libre : c'est idiot. » Les souffrances qu'endure Labbé ne sont donc pas à rechercher dans la personnalité (au demeurant exécrable) de Mathilde, son épouse, mais dans son rapport à l'amour en général. Cette lettre, précisément, est écrite juste avant son meurtre de la bonne. Labbé assassine Louise parce qu'il a découvert chez elle une sensualité que jusqu'alors il ne devinait pas (peu de temps avant ce crime, Labbé surprend Louise en train de se laver les jambes).

Mais cette relation à l'amour, mal vécue chez le chapelier, est particulièrement bien illustrée par la liaison (imaginaire) qu'il noue avec Berthe. Un premier fait trouble déjà : tous les notables la fréquentent, sauf lui.

Une séquence apparemment anodine est au centre des *Fantômes du chapelier*. Labbé rencontre Berthe sur le marché. Elle achète des langoustines. En cachette, il commande de ces crustacés (qu'il fait aller chercher par Louise) pour les déguster « en même temps » que Berthe. Vivre quelque chose de commun, au même moment, n'est-ce pas la définition même de l'échange amoureux ?

Labbé vit une passion secrète pour Berthe, un amour fou, malheureusement non partagé, qui finira pourtant par les emporter tous deux. Dans son désarroi, le chapelier prend

---

1. Mais on pourrait tout aussi bien relever ici l'amour non réalisé, « gommé », entre Louis et Anna, dans *Poulet au vinaigre*. Cf. « L'être et le paraître ».

Un amoureux qui ne veut pas se montrer. *Inspecteur Lavardin.*

le sexe en horreur, à travers Louise et la fille du tailleur, adolescente ; car c'est ce par quoi commence l'amour. Labbé tuera Berthe, comme on résout un problème à sa source.

Chabrol cache, longuement, le secret de son personnage en faisant de lui un mari qui, excédé par les sarcasmes (réels) de son épouse, aurait trouvé la solution extrême du meurtre. Ce subterfuge, d'ordre vaudevillesque, permet en fait à l'auteur de masquer, le plus longuement possible, sa thématique « amoureuse ».

Entre le discours sur l'amour et le regard amoureux

Or, sans ce thème de l'amour, *les Fantômes* ne serait peut-être, justement, qu'un vaudeville noir, d'un intérêt moindre. Non que l'amour soit en lui-même une thématique « supérieure », mais il offre à la gravité de ce film (déjà perçue à travers les rapports tortueux entre le tailleur et le chapelier, et aussi grâce à la noirceur du style) un relief et une dimension plus profonde encore.

173

L'amour est en apparence « gommé », et voilà qu'il revêt une fonction capitale ! Rien de paradoxal à cela : évincé du récit explicite, il ne risque pas de tomber dans le domaine redouté des « vérités sublimes », et s'intègre d'autant mieux au discours chabrolien.

Pour Violette (Nozière), l'amour fait oublier une réalité sordide. N'ayant que faire de la politique, elle écoute « Parlez-moi d'amour ». Par ailleurs, comme elle le dit, n'éprouver aucun sentiment amoureux est « mesquin ». Encore faut-il que l'amour ne fasse pas perdre tout sens de la réalité. C'est dans ce dilemme que se situe la problématique chabrolienne, retrouvée, presque trait pour trait, dans *Inspecteur Lavardin.*

Hélène Manguin vit dans le souvenir de son ancien mari, Pierre, qu'elle croit, ou fait semblant de croire, mort. Lavardin lui révèle, à la fin de son enquête, que le cher « disparu » est bien vivant. Ce qui pourrait être inspiré par la jalousie (dans la mesure où l'inspecteur est encore amoureux d'Hélène) n'est, plus prosaïquement, que la manifestation d'une préférence de la réalité au détriment du rêve. Aux révélations du flic, Hélène répond que Pierre est « là », dans son cœur. Lavardin rectifie « non, là », désignant la tête de la fausse veuve. Hélène, par amour, rêve et ne voit plus rien au monde. Lavardin, ne sachant plus aimer, ne rêve plus, et c'est sinistre.

On est donc, chez Chabrol, confronté au choix suivant : l'amour et l'évasion dans le rêve d'une part, ou la sécheresse et le sens de la réalité d'autre part.

L'alternative, pourtant, est rarement formulée. Car au discours sur l'amour, Chabrol préfère (une fois de plus) un regard sur ses personnages. Leur échec amoureux apporte à ses films une note « lyrique », au demeurant discrète pour ne pas « exalter de nouvelles vérités sublimes ». En douce, Lavardin vient interroger Hélène dans sa chambre pour recueillir un peu d'intimité perdue. Plus violent, il la menace d'un mandat international au cas où elle referait une fugue (c'est elle jadis qui est partie). Ou, avec une infinie délicatesse, il effleure son bras, embrasse son front. L'homme, vraiment, est un amoureux fou qui (comme Labbé) ne veut pas se découvrir, aux autres ou à lui-même.

Il en est de même pour Violette. Constatant chez elle l'imbrication de l'amour et du rêve, Chabrol lui oppose (dans un premier temps) une logique rigoureuse, sans doute inadaptée aux choses du cœur ; et pourtant il s'attendrit devant le désarroi de son héroïne, s'attarde avec gravité sur la distorsion criante entre l'amour, absolu, de Violette, et celui, relatif, de Jean son amant.

Et puis, insidieusement, la compassion chabrolienne s'immisce dans les fibres mêmes du discours. Ainsi, de même que les déconvenues amoureuses de Violette seraient la conséquence de ses rapports impossibles avec ses parents, son parricide serait « aussi » (surtout ?) la conséquence de ces déconvenues.

Là, la faillite amoureuse « explique » Violette, comme elle élucide Lavardin. Sans recours aux « vérités sublimes », le regard est devenu discours.

EN GUISE DE CONCLUSION

La réconciliation

Chabrol associe le « lyrisme » à l'exaltation facile, cause d'erreur, et à l'épanchement narcissique, source d'impudeur : autant de défauts qui conduisent un cinéaste « lyrique » à une emphase contraire à la recherche de la vérité. Cette éthique, qui préfère l'esprit aux sentiments, perd toutefois de sa rigueur lorsque le cinéaste se penche sur ses personnages. Là, Chabrol fait preuve de compréhension, de générosité même (au point de paraître contredire parfois son propre discours, comme lorsqu'il défend des individus abjects, justement indéfendables). D'où un lyrisme chabrolien aussi, d'autant plus émouvant qu'il est plus retenu, contrairement aux débordements exhibitionnistes auxquels se livrent certains « metteurs en scène » de ses films, comme Thénier dans *Que la bête meure.*

Le vrai lyrisme, en effet, a le goût du simple, presque du naïf. Rossellini, auteur de *Païsa* ou du *Miracle,* a su « réconcilier » la pensée, par nature cérébrale, avec le regard, affectif. Chabrol sait tout cela ; car justement, certains de ses films cristallisent cette « réconciliation ».

Les Bonnes Femmes a ce don de naïveté qu'on pourrait aussi appeler force de la simplicité. Son récit avance comme des évidences « dialectiques », à la manière de Rossellini, dont le foisonnement limpide forme un mouvement envoûtant. Ce film est éminemment « lyrique », sans que Chabrol ait voulu « faire beau ». Au contraire, on sent ici un énorme désir d'en finir avec la « beauté » convenue des films « Qualité Française ». En finir avec elle car le « lyrisme » moderne n'a de sens, et de beauté, que s'il est habité par la vérité, fût-elle sale. *Le Boucher,* il est vrai d'une tout autre facture que *les Bonnes Femmes,* retrouve cette force grâce à son réalisme, et son refus de toute sensiblerie. La séquence, inoubliable, où Popaul dit à « mad'moiselle Hélène » que « jamais faire l'amour ça rend dingue » est une épure : là, on oublie, définitivement, la mise en scène de Thénier.

L'épure, c'est peut-être la définition qu'il faudrait donner à ce point de convergence idéal entre le regard et le discours. Mais y parvenir suppose une « innocence », cet état où le savoir de cinéma, ce qu'il est convenu d'appeler l'expérience, importe peu. Au regard de ces deux chefs-d'œuvre, *les Bonnes Femmes* et *le Boucher,* certains films de Chabrol donnent parfois le sentiment d'une volonté de reconquête de cette « innocence », de ce « Paradis perdu ». Et même si parfois la quête semble céder le pas à la désillusion : « *D'un côté,* dit l'auteur au temps difficile des *Fantômes du chapelier, on connaît des trucs, d'un autre, on perd des naïvetés qu'il est impossible de fabriquer : il n'y a rien à faire, on ne les retrouve pas* » [1].

Qu'importe, il en reste toujours des traces, de cette quête, par exemple dans les images de Catherine et de Juliette (respectivement *Masques* et *le Cri du hibou).* Juliette, pour ne prendre qu'elle, se perd dans un romantisme « lyrique ». Or, c'est justement à cause de cet échec de son héroïne (qui la conduit à la mort) que Chabrol oublie sa rigueur « dialectique ». Il s'arrête alors sur ce visage tourmenté comme s'il voulait lui demander d'ouvrir « vraiment » les yeux [2].

On avait ce sentiment dans la peinture de Violette Nozière, personnage tout aussi pathétique que Juliette ou (à un moindre degré) Catherine. Ce sont dans ces moments, où la pensée est porteuse d'une émotion qui en retour régénère la pensée, que Chabrol montre qu'il est un très grand cinéaste.

Ce sont ces moment qu'on se plaît à retrouver chez lui, et qui existent, pleinement, dans *Une affaire de femmes.*

Pour ce film, le dernier en date de Chabrol, l'auteur n'a pas craint de faire preuve de « lyrisme », pourtant si souvent sacrifié chez lui. Certes, la tragédie de Marie, et sa « mise en scène » un peu naïve (touchante au regard de celle, mesquine, de Thénier ou d'autres « metteurs en scène » chabroliens) l'y ont encouragé. Pourtant, cet « abandon » (aux « sentiments », au regard généreux), presque total, de

---

1. Interview, *Cinéma 82,* septembre, n° 285.
2. A cet égard, il nous faut relever les talents de ces jeunes actrices, Anne Brochet (Catherine) et Mathilda May (Juliette), lesquelles sont mises en valeur par le savoir et l'intuition du cinéaste. Depuis, la seconde a largement confirmé ses débuts prometteurs avec *Trois places pour le 26,* de Jacques Demy.

la part de Chabrol, n'est pas une entrave au discours, plus cru que jamais, on le verra, dans sa formulation. Quand l'héroïne, avant d'être guillotinée, récite une version particulière du « Je vous salue Marie », l'auteur retrouve une insolence qui, sur un registre différent, fait songer au ton des *Bonnes Femmes*. Renouerait-il avec « l'optimisme » des liens qui semblaient (définitivement) perdus ?

On ne peut faire abstraction du tour dramatique qu'ont pris les attaques à l'encontre d'*Une affaire de femmes* (une bombe lacrymogène a coûté la vie à un spectateur dans une salle du Montparnasse). Or, celles-ci prouvent, avec cruauté, combien Chabrol, à nouveau, « travaille à découvert », communique « directement » sa vision du monde, comme, précisément, au temps des *Bonnes Femmes,* de cette Nouvelle Vague qu'une partie de la critique et du public accusa si injustement l'auteur d'avoir trahie.

Et, malgré de telles circonstances, il faut dire ici, haut et fort, qu'*Une affaire de femmes* est une œuvre de « réconciliation ». Non seulement du regard de l'auteur avec sa pensée, mais surtout avec son art, par conséquent avec lui-même.

Une affaire de femmes (1988)

Production : MK2 Production, Films A2, Film du Camélia, la Sept, la Sofica Sofinergie.
Scénario : Colo Tavernier O'Hagan, Claude Chabrol.
Inspiré librement de « Une affaire de femmes », de Francis Szpiner.
Images : Jean Rabier (couleurs).
Son : Jean-Bernard Thomasson, Maurice Gilbert.
Décors : Françoise Benoit-Fresco.
Musique : Matthieu Chabrol.
Montage : Monique Fardoulis.
Distributeur : MK2 Diffusions.
Durée : 110 minutes.

Interprétation : Isabelle Huppert *(Marie),* François Cluzet *(Paul),* Marie Trintignant *(Lucie),* Nils Tavernier *(Lucien),* Aurore Gauvin *(Mouche 1),* Lolita Chammah *(Mouche 2),* Guillaume Foutrier *(Pierrot 1),* Nicolas Foutrier *(Pierrot 2),* Marie Bunel *(Ginette),* Dominique Blanc *(Jasmine),* Evelyne Didi *(Fernande),* Dani *(Loulou),* François Maistre *(Pdt Lamarre-Coudray)),* Vincent Gauthier *(Maître Fillon),* Myriam David *(Rachel),* P.F. Dumeniaud *(patron de café).*

Le pays est occupé. Marie élève seule ses deux enfants, Mouche et Pierrot ; son époux, Paul, ayant été fait prisonnier. Par solidarité féminine dans des temps difficiles, la jeune mère de famille aide une voisine à avorter. Libéré, Paul revient chez lui, mais une blessure de guerre le contraint à l'inactivité. Marie voit alors dans la pratique clandestine de l'avortement un moyen comme un autre, d'améliorer leurs conditions de vie. Le succès de son nouveau « commerce » l'incite à franchir une autre étape. Marie loue des chambres à des prostituées. L'une d'elles, Lucie, lui fait connaître Lucien, lequel devient vite son amant. Peu à peu, Paul comprend pourquoi leur ménage baigne dans une aussi soudaine aisance. Dégoûté par les activités de sa femme, meurtri dans son amour-propre d'époux trompé, Paul dénonce Marie. Elle est arrêtée, puis condamnée à mort par la France de Vichy qui ne lui pardonne pas d'être une « avorteuse ». Marie est guillotinée le 31 juillet 1943.

Voir *Une affaire de femmes* plusieurs fois apporte peu de nouvelles découvertes. Non que le film souffre de superficialité, mais parce que c'est une œuvre rigoureusement simple. Tout se joue, ou presque, à la première projection car le récit ne dissimule aucune clé, contrairement à de nombreux films de Chabrol. D'où une limpidité dont on n'avait plus d'exemple, chez l'auteur, depuis longtemps, et le sentiment d'un cinéaste en symbiose avec son sujet (une idée de longue date, admirablement écrite par Colo Tavernier). La raison de cette limpidité est certainement qu'ici l'auteur ne se « protège » pas à l'aide d'un genre qui maintiendrait, en quelque sorte, l'œuvre à distance de son créateur. Les (rares) détracteurs répondront que l'Occupation est en soi un genre, d'ailleurs maintes fois traité par le cinéma français. Certes, mais dans ce cas précis, le genre, qu'on appellera « film d'Occupation », se soumet pleinement au sujet, une « faiseuse d'ange » sous Vichy ou plus profondément le regard d'une jeune femme sur ses actes et son destin.

Que voit-on justement de l'Occupation ? Peu de choses. Les réalités de ces temps difficiles sont plus ressenties par le spectateur que réellement vues. Une partie non négligeable du récit est du reste confinée dans l'appartement où vivent l'héroïne et les siens — il faut saluer ici le travail minutieusement réaliste des décors. Sur ce plan, *Une affaire de femmes* ressemble à *Violette Nozière* (qui n'est pas non plus un « film d'époque »). Les personnages des deux films, Violette et

Marie, ont symptomatiquement des points communs. La seconde, sans doute moins fantasque que son aînée, n'est pas moins fantaisiste, elle qui « un jour » pense devenir chanteuse ; et la politique leur échappe à toutes deux. Ce dernier trait de caractère, commun aux deux personnages joués par Isabelle Huppert, creuse encore plus la distance qui sépare *Une affaire de femmes* (et *Violette Nozière*) du *Sang des autres* où Hélène, certes par amour pour Jean, devait s'intéresser à l'action politique ; dès lors, le récit de ce long métrage basculait dans le « film de Résistance » classique.

Chabrol ne nous laisse voir de l'Occupation que ce que Marie décèle progressivement de cette période trouble. L'héroïne entrevoit la barbarie nazie à travers la rafle dont est victime son amie juive, Rachel ; puis elle devine peu à peu les tenants et les aboutissants de la Collaboration par la personnalité de son amant Lucien, ou par l'élimination d'un résistant qui meurt presque dans ses bras [1]. L'Histoire ne prend jamais le devant de la scène « sans » Marie ; si ce n'est dans la dernière partie du film. Le Vichysme est alors évoqué brièvement, pédagogiquement. Avec une platitude toute volontaire, et une mise en scène pour le moins minimale, l'auteur fait parler ses personnages, en l'occurrence l'avocat de Marie et sans doute un collègue, comme s'ils donnaient un cours. La séquence, rapide, rappelle la manière dont le cinéaste expose ses intrigues policières pour gagner au plus vite le spectateur. Livrées en un temps record, ces informations sur Vichy sont le fruit d'une seule nécessité : celle d'expliquer pourquoi Marie est la suppliciée d'un régime autoritaire en quête de bouc-émissaire.

Au-delà du fait qu'*Une affaire de femmes* n'est pas un polar, ce film tranche avec les dernières œuvres chabroliennes, et notamment avec les *Lavardin*. L'inspecteur évolue comme un corps étranger au milieu des populations provinciales ; sans doute parce que ses investigations policières servent uniquement de faire-valoir à sa (déjà) forte personnalité. Or, si Marie domine aussi le récit, *Une affaire de femmes* retrouve plutôt l'ambition des films « pompidoliens » (depuis *les Biches* jusqu'aux *Noces rouges*). En décrivant le passé

---

1. Au-delà de sa beauté, cette scène forte est particulièrement « parlante » : Marie est à cet instant contrainte de regarder « en face » l'injustice vichyssoise dont, à son tour, elle sera la victime.

douloureux du « boucher », l'auteur accordait au personnage une véritable épaisseur ; mais elle n'étouffait pas l'histoire, l'évolution des relations entre l'institutrice et Popaul, la découverte ou non du criminel. En définitive, « le boucher » entretenait la fiction qui en retour servait à développer le portrait du personnage. Chabrol traitait ainsi de front, avec le même engouement, le sujet « et » les personnages. C'est la même approche que l'on retrouve dans *Une affaire de femmes*.

La singularité de Marie aurait pu monopoliser le récit et susciter une œuvre intimiste (sur ses problèmes de couple, ou ses impatience face à son quotidien de mère de famille). Or, si *Une affaire de femmes* traite aussi de cela, il ne s'y limite pas. Car Marie « rencontre » l'Occupation : elle veut jouir de la vie, en finir avec les privations, avec le renoncement de la défaite piteusement incarné par Paul. Marie entend être heureuse malgré l'horreur ambiante. Et ce, quel que soit le prix à payer. Les premiers avortements pratiqués par Marie servent à déguster des biscuits et de la confiture. Ce type de scène, cruelle et forte, n'a rien d'une provocation de la part de Chabrol ; il exprime au contraire combien les actes de Marie « appartiennent » à son temps. Au surplus, *Une affaire de femmes* discourt moins sur l'avortement en lui-même que sur les raisons d'une jeune femme qui le pratique ; et Chabrol, naturellement, se garde bien de donner un avis sur le fond de la question [1].

On serait même tenté de dire que le film transcende les œuvres « pompidoliennes ». *Le Boucher* ne pouvait s'empêcher de « huiler » son sujet à l'aide d'une trame policière (certes discrète) par l'intervention molasse d'un inspecteur. Pour *Une affaire de femmes*, Chabrol refuse catégoriquement ce genre de concession. L'enquête qui conduit à l'arrestation de Marie est simplement sujette à ellipse. De même, la partie « judiciaire », assez conventionnelle, et précisément le filmage terne du procès de Marie, ne font rien pour aguicher la sensibilité « policière » du spectateur chabrolien. Hors du regard porté sur Marie, Chabrol a volontiers recours à l'académisme ou à la citation. D'une manière révélatrice, la scène (par ailleurs réussie) où la « faiseuse d'ange » est

---

1. Une fois de plus chez Chabrol, le titre du film a son importance : l'auteur, en tant qu'homme, se refuse à prendre parti parce que justement il s'agit d'une « affaire de femmes ».

UNE AFFAIRE
DE FEMMES
CLAUDE CHABROL

Collection Abbas Fahdel

En finir avec les privations.

arrêtée s'inspire, semble-t-il, d'une autre arrestation : celle
dans *le Faux Coupable* de Balestrero qui, comme Marie, se
trouve coincé dans le cadre par les deux policiers [1].

En fait, les « ficelles » fictionnelles, qu'elles soient de nature
policière ou autre, sont inutiles. Les événements suivent leur
propre logique simple, « naturelle ». Marie s'ennuie, se sent
privée de tout. Sa nouvelle fonction de « faiseuse d'ange »
lui permet d'accéder à un mode de vie de plus en plus
confortable. Son activité tend donc à s'intensifier. Le bonheur de Marie (qui sous cette Occupation prend vite des
allures de provocation) ne se cache plus, il éclabousse sans
vergogne le désarroi de l'époux trompé, lequel finira par
dénoncer sa femme. Le spectateur est par conséquent amené
à sentir l'inévitabilité de la rupture. *Une affaire de femmes*
bénéficie ainsi d'une progression dramatique évidente : sans
que Chabrol ait besoin de le souligner, Marie court à sa

---

1. C'est ce référent hitchcockien qui sert d'affiche pour le film.

perte, inéluctablement [1].

Contrairement aux apparences (et Dieu sait si elles sont trompeuses chez Chabrol !), personne ne comprend vraiment Marie. Paul ne voit en son épouse (qui le trompe ouvertement) qu'une « putain » au cœur de « pierre ». Lucie, la prostituée, ne retient de Marie que la femme d'affaire, ou presque. Lucien, l'amant, pense avoir déluré une petite bourgeoise, pas plus. « L'avorteuse » essuie de la part d'une catholique une condamnation haineuse. A la vérité, Marie est seule ; et cette solitude fait songer à Irène, dans *Europe 51*, devenue inclassable pour la société, rejetée par tous, les pauvres, les croyants, les agnostiques, les « politiques ». Certes Marie, de plus en plus heureuse, semble suivre une trajectoire inverse à celle du calvaire de l'héroïne rossellinienne. Tout au moins jusqu'à son arrestation. Toutefois, l'une comme l'autre « ignorent » leur destin. Après la mort de son fils, Irène ne s'attend pas à vivre une épreuve plus longue encore ; elle ne le comprendra que lors de son internement. Avant cette scène, la dernière du film, Irène ne croit pas à sa solitude. Exactement comme Marie ne croit pas à la sienne avant d'être emprisonnée. A ce stade seulement, l'attitude frileuse de son avocat, l'hostilité des gardiennes, la haine des prisonnières, lui font pressentir son terrible isolement. Mais sa vraie prise de conscience, cristallisée par sa « prière » à la Vierge Marie [2], n'aura lieu (quand il sera trop tard, comme jadis pour Irène) que juste avant son exécution. Importe donc dans ces deux films ce que nous, spectateurs, savons de la vie de ces héroïnes, et non ce que celles-ci croient vivre. Marie pense être heureuse ; or son bonheur est sinon factice du moins éphémère, car pour nous elle court à son destin tragique. La scène de son arrestation

---

1. Rappelons au lecteur les événements. Avant l'arrestation de Marie, l'appartement tient autant d'une clinique florissante que d'un « bordel ». Difficile de ne pas considérer cette situation comme intenable ; d'autant que doivent cohabiter un mari humilié, un amant installé, une prostituée à temps complet, une bonne promue « assistante », des enfants ébahis, et bien sûr Marie qui pense pouvoir régner sur ce petit monde hétéroclite.

2. Il faudrait d'ailleurs s'entendre sur le sens de cette « prière » qui a tant fait scandale. Le spectateur pourrait s'interroger (plus) quant au destinataire de ces mots : est-ce la Vierge Marie, ou Marie elle-même ? La question est d'importance. S'adressant à elle-même, Marie admet avoir « fauté », et alors le film revêt indéniablement une connotation chrétienne. Mais si (comme l'apparence veut bien le laisser croire) l'héroïne interpelle la Vierge, *Une affaire de femmes* devient un film résolument athée.

symbolise la naïveté, « l'ignorance » du personnage. Tandis que Marie joue avec ses enfants, elle tourne le dos aux policiers que nous voyons s'approcher vers elle.

Pour ma part, je ne perçois aucune rupture entre ce qui précède et ce qui suit l'arrestation de Marie ; mais bien au contraire une continuité, depuis l'ascension de la jeune femme, au terme de laquelle elle paraît si radieuse, jusqu'à sa chute, pourtant brutale, qui se solde par sa condamnation à mort. Cette impression se trouve d'ailleurs encouragée par le travail du cinéaste. Chabrol multiplie ce qu'on pourrait appeler les prémonitions. Cette technique chez lui n'est d'ailleurs pas nouvelle. Dans *Violette Nozière,* bien avant que l'héroïne ait l'idée d'empoisonner son père, elle sucre plus qu'il ne faut le café de celui qui accuse sa « petite fille » de vouloir « le rendre diabétique »[1]. Pour *Une affaire de femmes,* l'auteur réitère ce genre d'annonce avec il est vrai plus ou moins de bonheur[2].

Si les gestes et les paroles de Marie n'ont pour elle qu'une signification anodine, le spectateur (je l'espère) leur donne un sens d'une toute autre gravité. Juste un exemple. Après avoir aidé sa voisine à avorter, Marie demande à garder le savon qui a servi à l'acte répréhensible. Pour elle (qui à nos yeux est désormais une « avorteuse »), il s'agit de s'attribuer une denrée rare à des fins strictement domestiques. Pour nous, ce savon servira à d'autres avortements. Et c'est « inconsciemment » que Marie commence sa carrière « d'avorteuse »[3].

Ce genre de prémonition renforce l'idée que Marie est prédestinée au sort qui l'attend, Là encore, *Une affaire de femmes* fait écho à *Violette Nozière.* Avant le parricide, la mère de Violette désirait que sa fille ait « un grand destin »[4]. Ici, ce sentiment de « prédestination » se trouve, déjà, dans le scénario. Si Marie n'était pas allée récupérer son moulin

---

1. Cet épisode est déjà évoqué dans *Le cinéma de Chabrol.* Il faudrait aussi re-parler du hachis qui sert d'introduction à *Landru* avant même que le criminel se soit décidé à passer à l'acte.
2. L'oie décapitée par Lucien, apprenti collabo, et offerte à Marie, annonce grossièrement le destin de la jeune femme.
3. Il paraît impensable qu'un scénariste place un tel dialogue sans rechercher un but particulier.
4. Cette prémonition est évoquée dans le chapitre consacré au film, « L'être et le paraître ».

à café chez sa voisine qu'elle surprend en train d'essayer d'avorter, peut-être (je dis bien, peut-être) n'aurait-elle pas sombré dans l'engrenage qu'on sait. Et si ce « hasard » jouit d'un tel pouvoir, c'est bien la preuve que le destin de Marie obéit à une force inexplicable. Marie devient « avorteuse » « par hasard » ; alors que rien, objectivement, ne l'y prépare. On retrouve cette idée dans *l'Escargot noir*. Le criminel avoue qu'il avait fait le deuil de son frère noyé jusqu'à ce qu'il rencontre par hasard dans Paris une de ses meurtrières. Sans cette rencontre, Mario ne serait jamais passé à l'acte [1].

Notre connaissance préalable de l'histoire de Marie se trouve confirmée, d'une manière plus ou moins intuitive, grâce à ce que nous devinons du destin tragique de la jeune femme. Et la force du film est de savoir conjuguer une aventure connue du spectateur, et un récit rigoureusement construit au présent. Le spectateur « regarde » Marie, lui qui en sait long sur elle, ne rien savoir (et pour cause) de son avenir. Nous voyons l'héroïne « foncer », tête baissée, aveuglée par une euphorie encouragée par le succès de son commerce et de ses amours. A d'autres moments, Marie nous apparaît prisonnière du doute, par exemple lors de la visite de la femme catholique, et plongée dans l'incertitude. Quand pour la première fois une femme vient la voir pour se faire avorter moyennant rétribution, l'hésitation de « l'avorteuse » est telle que le spectateur, pourtant convaincu du destin tragique de Marie, pense, quelques secondes, à une réponse négative (laquelle impliquerait la fin du film). Pour cela, *Une affaire de femmes* doit beaucoup au talent d'Isabelle Huppert. Peu d'actrices savent avec autant de force restituer cette volonté farouche, cette quête obstinée pour le bonheur, comme cette indécision de l'instant qui exprime si bien la fragilité de l'être. Mais la comédienne nous avait déjà habitué à ce genre de performance digne des plus grands dans (entre autres films) *Violette Nozière* lorsque, par exemple, Violette essaie de bluffer son gigolo, et où, à des instants pareils, elle est littéralement prête à n'importe quoi (comme d'ailleurs le sera Marie). Il faut, pour parvenir à cette précision dans le jeu, savoir s'oublier soi-même. Un tel oubli requiert, osons le mot, la beauté de l'âme, si rare depuis, peut-être, Anna

---

1. De même, sans « un hasard fantastique », Thénier n'aurait jamais retrouvé Decourt, l'assassin de son fils *(Que la bête meure)*.

Magnani.

Marie sait sans doute ce qu'elle veut, être heureuse ; elle ne sait rien de ce qui l'attend. Le spectateur, au fait du devenir de l'héroïne, le voit « se réaliser » petit à petit sur l'écran. Le cinéma de Chabrol pourrait se résumer dans cette « avance » du public sur les personnages, lesquels très souvent se rendent coupables, sans le savoir, des actions les plus cruelles. Dans *les Noces rouges,* Hélène pensait aider sa mère, Lucienne, en écrivant à la police. Paul, lui, ne mesure pas les conséquences de sa lettre (anonyme cette fois) envoyée au commissaire ; l'avocat est lui-même atterré par cette justice expéditive dont Marie fait les frais. Or nous, spectateurs, savons ce qu'il en est. Chabrol démontre ainsi, « cinématographiquement », l'inconséquence de la nature humaine. Etant le fruit d'une inconscience, cette légèreté est donc pardonnable : c'est le « regard » chabrolien. Mais cette inconséquence est malheureusement incorrigible et tenace, au-delà des âges et du temps : voilà le « discours » de l'auteur.

C'est à ce stade que Chabrol « dépasse » le problème de l'avortement — sans en oublier la cruauté [1]. Lorsque Marie se demande si « les bébés dans le ventre de leurs mères ont une âme », Lucie lui répond qu'il « faudrait d'abord que leurs mères en aient une ». Le mot, terrible, est assurément une clé de ce film. Le mal ne se limite pas à un épisode, fût-il douloureux, mais provient de la nuit des temps (faut-il alors parler de « faute originelle » ?) et perdure inlassablement.

On pourrait penser qu'avec *Une affaire de femmes,* Chabrol dresse « directement » le portrait de son héroïne. Sans altérer la simplicité de ce film, la réalité est plus complexe ; et il faut souligner ici combien le récit tend au contraire à se confondre avec le regard, à la fois ébahi et incrédule, de Pierrot, le propre fils de Marie. Par souci d'objectivité, Chabrol a une fois de plus érigé entre lui et son sujet un rempart qu'il a trouvé dans la personnalité de l'enfant [2].

---

1. L'auteur filme avec beaucoup de compassion ces femmes qui avortent.
2. Pierrot appartient à la famille des « motards » chabroliens qui, comme André Lapierre (des *Bonnes Femmes*), protègent Chabrol de ses sujets trop brûlants (cf. « Le cinéma de Chabrol »). C'est peut-être à ce regard d'enfant, à son « innocence », que le film doit sa simplicité, mieux sa vérité.

Pierrot suit les étapes de cette tragédie ; il les intériorise. On voudrait ajouter : pour Chabrol. Mais, que l'enfant occupe le devant de la scène (ce qui n'est d'ailleurs pas systématique) ne relève pas seulement d'une précaution d'auteur. Pierrot est surtout l'instrument même du discours chabrolien. Dans les rares occasions qui lui sont offertes de prendre la parole, il dit vouloir être bourreau, « plus tard », parce que celui-ci, précise l'enfant, peut exercer sans être vu grâce à sa cagoule. Paul, lui, était victime de sa femme, le voilà bourreau. Et c'est l'anonymat de sa lettre qui lui sert de cagoule. Victime, Pierrot symbolise les enfants martyrs dont parle longuement Dostoievsky. Déjà, dans *le Boucher,* on se souvient des gouttes de sang, d'une des victimes de Popaul, que recevait une petite fille sur le front ; ou, dans *Que la bête meure,* de l'enfant de Thénier mortellement blessé par la voiture de Decourt, et plus encore du fils de celui-ci, véritable martyr.

Cette obsession du romancier russe, « les enfants martyrs », Chabrol la fait sienne tout au long d'*Une affaire de femmes* ; et elle inspire l'une des plus belles scènes que le cinéma français nous ait offert depuis longtemps. Dans la nuit qui précède l'exécution de Marie terrorisée par l'angoisse, Paul vient prendre Mouche qui pleure. Pierrot qui ne dormait pas se cogne névrotiquement la tête contre le mur. La scène se passe de commentaire ; si ce n'est qu'elle fait écho à la première séquence du film. Marie fait ramasser des orties par Pierrot. Ses genoux sont mis à vif par les piqûres. Qui sait si, « plus tard », il ne se souviendra pas de ce grief humiliant enfoui dans son inconscient d'enfant. Au-delà de ses bonnes intentions, l'adolescente des *Noces rouges* (Hélène) se souvenait sans doute d'avoir été mise au secret par sa mère.

Et Charles, le cancre de l'école dans *le Boucher,* n'oublierait certainement pas les cours de rattrapage imposés par l'institutrice. Chabrol, habilement, dressait une analogie entre cet enfant et Popaul en faisant accomplir à tous deux des travaux supplémentaires (pour Popaul, c'était la peinture dans l'appartement d'Hélène). Quant au « boucher », il s'était souvenu de son enfance, de son « beau fumier » de père...

Ayez pitié des enfants de ceux que l'on condamne. La phrase, purement dostoïevskienne, clôt *Une affaire de femmes.* Car les victimes, ajoute Chabrol, sont les bourreaux de demain.

Qui sait si Pierrot ne se souviendra pas...

QUELQUES REPÈRES BIOGRAPHIQUES ET FILMOGRAPHIQUES

En résumé...

Fils de pharmacien, Claude Chabrol est né à Paris le 24 juin 1930. Pendant la guerre, il passe son enfance à Sardent, un village de la Creuse. Là, il loue un appareil de projection. Un garage sert de local : « Le Cinéma Sardentais » est né. La paix et les études ramènent Chabrol à Paris. Après un bac C (obtenu à l'arraché), il fait des études de lettres et de droit, avant d'entrer en faculté de pharmacie, suivant ainsi le modèle paternel. Chabrol accomplit ses obligations militaires dans un service de santé.

Libéré, il met un terme à cette voie « sérieuse » de futur pharmacien, préférant fréquenter assidument les ciné-clubs, et particulièrement celui du Quartier Latin, animé par Eric Rohmer. Il y fait des rencontres déterminantes, et parmi elles, Paul Gégauff (qui sera le scénariste de Chabrol pour beaucoup de ses films), François Truffaut, Jean-Luc Godard, Jacques Rivette, Charles Bitsch et Claude de Givray. Avec eux, Chabrol hante aussi la Cinémathèque, rue de Messine. Entouré de ses amis de la future Nouvelle Vague, le jeune homme entre aux *Cahiers du cinéma* (créés depuis peu) en novembre 1953, où il signe un premier article sur *Chantons sous la pluie* (G. Kelly, S. Donen), intitulé « Que ma joie demeure ». Chabrol rédigera des critiques de films d'Hitchcock, Aldrich, Hawks, Mankiewicz, Walsh... ; participe à divers entretiens (avec Hitchcock, Anthony Mann, Jules Dassin) ; et écrit des articles généraux, notamment « Hitchcock devant le mal » et « Evolution du film policier ». Enfin, en 1957, il publie, avec Rohmer, « Hitchcock ». Entre-temps (et bien que, de son propre aveu, il vive de manière confortable, contrairement à ses amis des *Cahiers*), Chabrol accepte un travail de chargé de presse à la « Twentieth Century Fox ».

Le futur cinéaste crée assez tôt sa propre société de production, AJYM Films (AJYM, ce sont les initiales de sa première femme et de ses enfants). Chabrol produit les courts métrages des amis, comme *le Coup du Berger,* de Jacques Rivette, et dont le « producteur » a écrit le scénario. Vient *le Beau*

Serge. Accueil chaleureux de la critique, succès du public, le film est primé à Locarno en 1958. Sur sa lancée, Chabrol réalise *les Cousins* : il obtient l'Ours d'or au festival de Berlin en 1959. Les frères Hakim, Robert et Raymond, producteurs, confient au jeune cinéaste la réalisation d'*A double tour,* lequel est sélectionné à Venise. Mais la critique est divisée...

Rejet des *Bonnes Femmes,* échec des *Godelureaux...* Fort heureusement, Chabrol rencontre Georges de Beauregard (que la postérité associera à la Nouvelle Vague), rencontre décisive puisque le producteur permettra au cinéaste de tourner *l'Œil du malin, Landru, Marie-Chantal contre docteur Kha, la Ligne de démarcation...* Après *Landru,* Chabrol connaît tout de même un long passage à vide. Christine Gouze-Rénal lui propose *Le Tigre aime la chair fraîche* (dont Roger Hanin a signé le scénario). Le cinéaste accepte ; le voilà dans l'espionnage.

C'est de celui-ci qu'il est question dans le premier film, *la Route de Corinthe,* que Chabrol tourne pour André Génovès, seconde rencontre capitale (après de Beauregard). Avec Les Films La Boétie, la société de production de Génovès, le cinéaste réalise, entre 1967 et 1974, une douzaine de films, depuis *les Biches* jusqu'aux *Innocents aux mains sales.*

Mais Les Films La Boétie connaissent des difficultés, et Chabrol se retrouve seul. Eugène Lépicier, un autre producteur français, contribue à l'élaboration de quelques films, *Alice ou la dernière fugue* et *Violette Nozière,* pour citer les principaux. Une dernière rencontre (à ce jour) semble avoir marqué la carrière chabrolienne : celle de Marin Karmitz (MK2 Productions), avec qui Chabrol tourne *Poulet au vinaigre, Inspecteur Lavardin, Masques,* et *Une affaire de femmes.*

Pour *le Cri du hibou,* l'auteur retrouve Antonio Passalia, qui, acteur dans divers films du cinéaste (comme *le Tigre aime la chair fraîche* ou *le Boucher*) fait cette fois office de producteur de ce long métrage. Cette anecdote est révélatrice de ce que Chabrol a toujours aimé (dans la mesure du possible) s'entourer d'une « famille ». Au-delà de celle des producteurs, on citera les techniciens que l'auteur a conservés tout au long (ou presque) de sa carrière. Les mêmes noms occupent imperturbablement les génériques des films de Chabrol : Jean Rabier, Odile Barski, Michel Dupuis, Aurore Pacquiss (devenue l'épouse du cinéaste), Monique Fardoulis... Et puis, il y a les acteurs, entrés dans la légende : Stéphane

Audran (Hélène), Bernadette Lafont, Jean-Claude Brialy, Jean Poiret, Michel Bouquet, Jean Yanne, Attal et Zardi, à qui Chabrol réserve toujours un petit rôle, parfois extravagant, sans oublier Isabelle Huppert qui obtient deux prix d'interprétation féminine, le premier à Cannes avec *Violette Nozière* en 1978, le second à Venise avec *Une affaire de femmes* en 1988.

La « famille » se porte bien ; d'autant que son chef de file est fidèle à son rythme de croisière, sauf accidents de parcours un film par an, et ces derniers temps presque trois en deux années. Si on ajoute à cela la réalisation de nombreux téléfilms (dont les derniers en date sont deux « Dossiers de l'inspecteur Lavardin »), ou encore de films publicitaires, Claude Chabrol figure parmi les cinéastes français les plus dévoreurs de pellicule.

Production

Claude Chabrol crée « AJYM-Films » en 1956 :
— *Le Coup du berger,* Jacques Rivette, 1956 (court métrage)
— *Le Beau Serge,* C.C., 1958
— *Les Cousins,* C.C., 1958
— *L'Américain,* Alain Cavalier, 1958 (court métrage)
— *Véronique et son cancre,* Eric Rohmer, 1958, (court métrage)
— *Paris nous appartient,* Jacques Rivette, 1958-60, co-production avec Les Films Du Carrosse (François Truffaut)
— *Les Jeux de l'amour,* Philippe de Broca, 1959
— *Le Signe du lion,* Eric Rohmer, 1959
— *Le Farceur,* Philippe de Broca, 1960
— *La Ligne droite,* Jacques Gaillard, 1961
AJYM-Films s'arrête en 1961.

Collaborations diverses (les principales)

Scénario : *le Coup du berger ; la Semaine des quatre jeudis,* de J. Rivette, non réalisé.
Conseiller technique : *A bout de souffle,* Jean-Luc Godard, 1959, *Happening,* Gilbert Bocanowski, 1967.
Mise en scène de théâtre : *Macbeth,* Shakespeare, avec R. Hanin (1966), à Versailles. *La Danse de mort,* d'après August Strindberg, au Théâtre de l'Atelier, avec Michel Bouquet (1982).
Chabrol acteur : dans ses propres films : *le Beau Serge* (La Truffe), *les Bonnes Femmes* (un baigneur à la piscine), *les*

Godelureaux (un client dans le café), *La Muette* (le père), *Marie-Chantal contre docteur Kha* (le barman), *Le Tigre se parfume à la dynamite* (le médecin), *la Route de Corinthe* (Alcibiade), *les Biches* (le metteur en scène), *Folies bourgeoises* (un auteur).

Et dans les films des autres : principalement : *Je hais les acteurs,* de Gérard Krawczyk, 1986 (un scénariste muet), *Alouette, je te plumerai,* de Pierre Zucca, 1987 (le vieux briscard).

Coordinateur de la série « Sueurs froides », présentateur et comédien, co-scénariste parfois (Canal Plus, 1988, rediffusion sur Antenne 2 en 1989).

Réalisateur de films publicitaires : les cigarettes Winston, la Renault 5, le fromage Gueule d'Amour, le camembert Bridel, la Maison du Café...

La télévision

De Grey
Producteur : ORTF
Scénario : Roger Grenier, d'après la nouvelle de Henry James
Images : Jean Rabier
Son : Guy Chichignoud
Décors : Guy Littaye
Musique : Pierre Jansen
Montage : Jacques Gaillard
Diffusion : TF1, 1974
Durée : 51 minutes
Interprétation : Hélène Perdrière, Yves Lefèvre, Daniel Lecourtois, Catherine Jourdan.

Le Banc de la désolation
Production : ORTF
Scénario : Jean Grenier, d'après la nouvelle de Henry James
Images : Jean Rabier
Son : Guy Chichignoud
Décors : Guy Littaye
Musique : Pierre Jansen
Montage : Jacques Gaillard
Diffusion : TF1, 1974
Durée : 52 minutes
Interprétation : Michel Duchaussoy, Catherine Samie, Michel Piccoli, Roger Lumont, Francis Lax.

Monsieur Bébé (Série « Histoires insolites »)
Scénario : Roger Grenier, d'après *Bons et loyaux services*
de J. Cortazar.
Producteur : ORTF
Images : Jean Rabier
Son : Guy Chichignoud
Décors : Guy Littaye
Musique : Pierre Jansen
Montage : Monique Fardoulis
Diffusion : TF1, 1974
Durée : 52 minutes
Interprétation : Denise Gence, Marc Doelnitz, Sylvie Joly,
François Perrot, Gilbert Servien, Paul Temps, Daniel Ollie.

Nul n'est parfait (« Histoires insolites »)
Producteur : ORTF
Scénario : Roger Grenier, d'après *Accomodements* de G.
Mandel
Images : Jean Rabier
Son : Guy Chichignoud
Décors : Guy Littaye
Musique : Pierre Jansen
Montage : Monique Fardoulis
Diffusion : TF1, 1974
Durée : 52 minutes
Interprétation : Caroline Cellier, Michel Duchaussoy, Cathe-
rine Chauvière, Philippe Dehesdin, Gefion Helmke, Louise
Rioton.

Une invitation à la chasse (« Histoires insolites »)
Producteur : ORTF
Scénario : Paul Gegauff
Images : Jean Rabier
Son : Guy Chichignoud
Décors : Guy Littaye
Musique : Pierre Jansen
Montage : Monique Fardoulis
Diffusion : TF1, 1974
Durée : 52 minutes
Interprétation : Margarethe von Trotta, Jean-Louis Maury,
Attal et Zardi, Michèle Alexandre, Robert André, Francis
Lax, Robert Favart.

Les Gens de l'été (« Histoires insolites »)
Producteur : ORTF

Scénario : Jean Grenier, d'après une nouvelle de Shirley Jackson
Images : Jean Rabier
Son : Guy Chichignoud
Décors : Guy Littaye
Musique : Pierre Jansen
Montage : Monique Fardoulis
Diffusion : TF1, 1974
Durée : 52 minutes
Interprétation : Madeleine Ozeray, François Vibert, Dieter Augustin, Serge Bento, Jean-Paul Frankeur, Isabelle Gautier, Charles Charras.

La Boucle d'oreille
Producteur : FR3, Hamster Productions
Scénario : Claude Chabrol, d'après une nouvelle de William Irish
Images : Jean Rabier
Son : Alain Levert
Décors : Didier Massari
Musique : Wagner, Schubert
Montage : Monique Fardoulis
Diffusion : FR3, 1978
Durée : 52 minutes
Interprétation : Thérèse Liotard, Pierre Douglas, Jacques Spiesser, Jean-Pierre Coffe, Jean Cherlian, Michel Fortin, Danièle Burou.

Fantômas (1979)
Deux épisodes de la série, « L'échafaud magique » et « Le tramway fantôme »
Interprétation : Pierre Malet, Jacques Dufilho, Helmut Berger...

Madame la juge (1980)
Un épisode, « 2 + 2 = 4 »
Interprétation : Simone Signoret, François Perrot, Mario David...
Série : *Les Musiciens* (1980)
Monsieur Saint-Saëns, Monsieur Prokofiev, Monsieur Liszt.

Le Système du docteur Goudron et du professeur Plume (1980)
Producteur : FR3, Films du Triangle, Centro de produccion de Cortomettragio mexicana de radio y television (Mexico)
Scénario : Paul Gégauff, d'après Edgar A. Poe

Images : Jean Rabier
Son : Pierre Lenoir
Décors : Hilton McConnico
Musique : Gérard Anfosso, Mozart
Montage : Monique Fardoulis
Durée : 55 minutes
Interprétation : Ginette Leclerc, Pierre Le Rumeur, Jean-François Garraud, Coco Ducados, Vincent Gauthier, Sacha Briquet, Henri Attal, Noëlle Noblecourt, Pierre Risch, Arthur Demberg, Charles Charras...

Les Affinités électives (1981)
Producteur : FR3, Télécip, Galaxy Film Produktion (Munich)
Scénario : Jean Grenier, d'après l'œuvre de Gœthe
Images : Jean Rabier
Son : Claude Catule
Décors : Guy Littaye
Musique : Matthieu Chabrol
Montage : Monique Fardoulis
Durée : 120 minutes
Interprétation : Stéphane Audran, Michael Degem, Pascal Raynaud, Helmut Griem, Jarmila Svelova, Joseph Langmiller, Svatopuk Benes...

Scène de « *M Le Maudit* »
Pour l'émission « Cinéma, cinémas » (A. Andreu, M. Boujut, C. Ventura), C. Chabrol a refait une scène célèbre du film de F. Lang avec Jacques Villeret (1982).

La Danse de mort (1982)
Scénario : Claude Chabrol, d'après la pièce de August Strindberg
Producteur : FR3, SFP
Images : Jean Rabier
Son : Alix Comte
Décors : François Comtet
Musique : Matthieu Chabrol
Montage : Monique Fardoulis
Interprétation : Michel Bouquet, Niels Arestrup, Juliette Carré

L'Escargot noir (Série « Les dossiers de l'inspecteur Lavardin »)
On se reportera à la fiche insérée dans les films : du *Beau Serge* à *L'Escargot noir*.

UNE BIBLIOGRAPHIE SUBJECTIVE

« De » Claude Chabrol

Une nouvelle (policière) : « Musique douce », *Mystère Magazine,* n° 70, nov. 1953.

Des souvenirs : *Et pourtant je tourne...,* Ed. R. Laffont, coll. « Un homme et son métier », 1976.

Un essai, avec Eric Rohmer : *Hitchcock,* première publication : Ed. Universitaires, 1957.

Des critiques, aux *Cahiers du cinéma :* « Que ma joie demeure », *Chantons sous la pluie,* n° 28, déc. 53 ; « Petits poissons deviendront grands », *Bronco Apache,* R. Aldrich, n° 45, mars 55 ; « Sans tambour ni trompette », *Rebecca,* A. Hitchcock, idem ; « Les Choses sérieuses », *Fenêtre sur cour,* A. Hitchcock, n° 46, avril 55 ; « Clés pour la comtesse », *La Comtesse aux pieds nus,* J.L. Mankiewicz, n° 49, juill. 55 ; « Le Gambit du pharaon », *La Terre des pharaons,* H. Hawks, n° 53, déc. 55 ; « Mettre en suspense », *La Main au collet,* A. Hitchcock, n° 55, janv. 56.

Des articles généraux, aux *Cahiers du cinéma :* « Hitchcock devant le mal », n° 39, oct. 54 ; « Evolution du film policier », n° 54, déc. 55 ; « Les petits sujets », n° 100, oct. 59.

Et des entretiens, aux *Cahiers du cinéma :* « Entretien avec Alfred Hitchcock », avec F. Truffaut, n° 44, fév. 55 ; « Entretien avec Jules Dassin », avec F. Truffaut, n° 46, avril 55 ; « Entretien avec Anthony Mann », avec C. Bitsch, n° 69, mars 57.

Sur *le Beau Serge,* aux *Cahiers du Cinéma :* « La peau, l'air et le subconscient », n° 83, mai 58

« Sur » Claude Chabrol

Les films

Le Beau Serge :
Arts, 11.02.58 (E. Rohmer). *Cahiers du C.,* n° 81 (C. Bitsch). *Cahiers du C.* n° 93 (J. Douchet). *France Observateur,* 14.08.58 (A. Bazin). *Lettres Françaises,* 19.02.59 (G. Sadoul)

Les Cousins :
Arts, 11.03.59 (J.L. Godard). *Cahiers du C.*, n° 83 (tournage, J.L. Godard) ; n° 94 (J. Domarchi)
A double tour :
Cahiers du C., n° 103 (L. Marcorelles). *Lettres Françaises*, 10.12.59 (G. Sadoul)
Les Bonnes Femmes :
Cahiers du C., n° 108 (A.S. Labarthe). *Cinéma 60*, n° 47 (M. Mardore). *L'Express*, mai 60 (F. Sagan)
Les Godelureaux :
Arts, 22.03.61 (J. Domarchi). *Cahiers du C.*, n° 119 (A.S. Labarthe) ; n° 121 (E. Rohmer) ; n° 161-162 (J.A. Fieschi). *Lettres Françaises*, 23.03.61 (G. Sadoul). *Cinéma 61*, n° 55 (M. Mardore)
L'Avarice :
Cahiers du C., n° 132 (M. Delahaye). *Cinéma 62*, n° 65 (M. Mardore)
L'Œil du malin :
Cahiers du C., n° 133 (J. Collet). *Cinéma 62*, n° 67 (M. Mardore)
Ophélia :
Cahiers du C., n° 143 (J.A. Fieschi). *Cinéma 62*, n° 67 (M. Mardore). *Télérama*, 13.03.62 (J. Collet)
Landru :
Arts, 25.01.63 (J.L. Bory). *Cahiers du C.*, n° 143 (J.A. Fieschi). *Lettres Françaises*, 23.01.63
L'Homme qui vendit la tour Eiffel :
Cahiers du C., n° 159 (J. Bontemps)
Le Tigre aime la chair fraîche :
Cahiers du C., n° 161-162 (M. Delahaye)
Marie-Chantal contre Dr Kha :
Cahiers du C., n° 166-167 (J. Bontemps, J.A. Fieschi). *Cinéma 65*, n° 99 (G. Jacob). *Positif*, n° 73 (G. Legrand)
La Muette :
Cahiers du C., n° 172 (J.L. Comolli). *Cinéma 65*, n° 101 (G. Jacob)
Le Tigre se parfume à la dynamite :
Cahiers du C., n° 173 (S. Daney). *Positif*, n° 73 (G. Legrand)
La Ligne de démarcation :
Cahiers du C., n° 182 (L. Moullet). *Cinéma 66*, n° 108 (G. Braucourt)
Le Scandale :
Cahiers du C., n° 189 (J.L. Comolli). *Cinéma 67*, n° 116

(G. Jacob)
La Route de Corinthe :
Cahiers du C., n° 211 (P. Kané)
Les Biches :
Cahiers du C., n° 200-201 (B. Eisenschitz) ; n° 211 (P. Kané).
Cinéma 68, n° 130 (G. Braucourt). *Nouvel Observateur*,
13.03.68 (J.L. Bory). *Positif*, n° 95 (G. Legrand)
La Femme infidèle :
Cahiers du C., n° 209 (J.L. Comolli) ; n° 211 (P. Kané).
Cinéma 69, n° 134 (G. Braucourt). *Positif*, n° 103 (G. Le-
grand)
Que la bête meure :
Cahiers du C., n° 216 (J. Narboni) ; n° 218 (J.P. Oudart).
Cinéma 69, n° 139 (G. Braucourt). *Positif*, n° 109 (P.L.
Thirard)
Le Boucher :
Cahiers du C., n° 219 (P. Kané). *Cinéma 70*, n° 145 (G.
Braucourt). *Nouvel Observateur*, 2.03.70 (J.L. Bory). *Positif*,
n° 115 (G. Legrand)
La Rupture :
Cahiers du C., n° 224 (J. Narboni). *Cinéma 70, n° 149* (G.
Braucourt)
Juste avant la nuit :
Cinéma 71, n° 156 (G. Braucourt). *Positif*, n° 127 (G. Le-
grand)
La Décade prodigieuse :
Cinéma 72, n° 162 (A. Cervoni). *Ecran 72*, n° 1 (G. Brau-
court). *Positif*, n° 135 (F. Vitoux)
Docteur Popaul :
Cinéma 72, n° 170 (J.L. Passek). *Ecran 72*, n° 8 (G. Brau-
court). *Positif*, n° 144-145 (M. Ciment)
Les Noces rouges :
Cinéma 73, n° 175 (F. Gévaudan). *Ecran 73*, n° 13 (G.
Braucourt). *Positif*, n° 149 (G. Legrand). *Revue du C.*, n° 271
(G. Gaulier, A. Cornand)
Nada :
Cinéma 74, n° 184 (J. Grant). *Etudes*, avril 74 (J. Collet)
Une partie de plaisir :
Cinéma 75, n° 195 (D. Rabourdin). *Positif*, n° 167 (N. Ré-
gnier)
Les Innocents aux mains sales :
Ecran 75, n° 36 (G. Braucourt). *Positif*, n° 170 (G. Legrand)
Les Magiciens :
Ecran 76, n° 48 (C. Beylie). *Positif*, n° 183-184 (A. Garsault)

Folies bourgeoises :
Ecran 76, n° 49 (G. Braucourt). *Positif,* n° 183-184 (A. Garsault). *Cinématographe,* n° 20 (J. Fieschi)
Alice ou la dernière fugue :
Ecran 77, n° 55 (G. Braucourt). *Positif,* n° 191 (G. Legrand). *Revue du C.,* n° 315 (F. Chevassu). *Etudes,* mars 77 (J. Collet)
Les Liens du sang :
Cahiers du C., n° 288 (S. Le Péron). *Cinéma 78,* n° 230 (J. Magny). *Revue du C.,* n° 327 (F. Guérif). *Etudes,* avril 78 (J. Collet)
Violette Nozière :
Cahiers du C., n° 290-291 (J. Narboni). *Cinématographe,* n° 39 (J. Fieschi, J.C. Bonnet). *Positif,* n° 208-209 (P.L. Thirard). *Revue du C.,* n° 330 (F. Chevassu)
Le Cheval d'orgueil :
Cahiers du C., n° 316 (Y. Lardeau). *Cinéma 80,* n° 262 (J. Magny). *Cinématographe,* n° 61 (J. Fieschi)
Les Fantômes du chapellier :
Cahiers du C., n° 138 (S. Toubiana). *Cinéma 82,* n° 282 (A. Carbonnier). *Positif,* n° 257-258 (A. Masson). *Cinématographe,* n° 79 (J. Fieschi). *Revue du C.,* n° 273 (P. Mérigeau)
Le Sang des autres :
Cahiers du C., n° 359 (M. Chevrie). *Cinéma 84,* n° 306 (A. Carbonnier). *Positif,* n° 281-282 (G. Legrand). *Cinématographe,* n° 100 (B. Villien)
Poulet au vinaigre :
Cahiers du C., n° 370 (H. Le Roux). *Cinéma 85,* n° 316 (J. Magny). *Positif,* n° 291 (M. Sineux). *Revue du C.,* n° 404 (M. Tessier) ; n° 405 (C. Bosséno)
Inspecteur Lavardin :
Cahiers du C., n° 381 (P. Bonitzer). *Positif,* n° 303 (G. Legrand). *Cinéma 86,* n° 345, 12.03.86 (F. Revault d'Allones). *Revue du C.,* n° 415 (F. Guérif). *Etudes,* avril 86 (J. Collet)
Masques :
Cahiers du C., n° 392 (J. Magny). *Positif,* n° 313 (G. Legrand). *Revue du C.,* n° 425 (F. Chevassu). *Cinéma 87,* 11.02.87 (J.L. Manceau)
Le Cri du hibou :
Cahiers du C., n° 401 (J. Magny). *Revue du C.,* n° 432 (F. Chevassu)
Une affaire de femmes :
Cahiers du C., n° 411 (S. Toubiana), *Télérama,* n° 2019 (J.

Schidlow). *La Revue du Cinéma,* n° 442 (F. Chevassu). Interview d'Isabelle Huppert, *Libération,* 21.09.88. Interview de François Cluzet, *Cinéma 88,* n° 450, 15.10.1988

Les entretiens

« Tout ce qu'il faut savoir pour mettre en scène s'apprend en quatre heures », *Arts,* 19.02.58 (F. Truffaut)
Cinéma 62, n° 64, mars (M. Mardore)
Télérama, n° 635, 18.03.62 (J. Collet)
Cahiers du cinéma, n° 138, déc. 62 (J. Collet, B. Tavernier)
Cinéma 66, n° 109, sept.-oct. (G. Jacob)
Image et son, n° 228, mai 69 (N. Simsolo)
Positif, n° 115, avril 70 (M. Ciment, G. Legrand, J.P. Török)
La Revue du cinéma-Image et son, n° 279, déc. 73 (A. Cornand, P. Gaulier)
« The magical Mystery world of Claude Chabrol », *Film Quarterly,* vol. 32, n° 3, printemps 79 (Dan Yakir), en anglais
« Sur Fritz Lang », *Cinéma 82,* n° 282 (A. Carbonnier, D. Rabourdin)
Cinéma 82, n° 285, sept. (A. Carbonnier, J. Magny)
Cinématographe, n° 81, sept. 82 (P. Carcassonne, J. Fieschi)
Cahiers du cinéma, n° 339, sept. 82 (J.C. Biette, S. Daney, S. Toubiana)
Cahiers du cinéma, n° 381, mars 86 (M. Chevrie, S. Toubiana)
Cahiers du cinéma, n° 407-408, mai 88, avec I. Huppert (S. Toubiana)

Les articles généraux

« Le réalisme fantasmagorique de Claude Chabrol », Luc Moullet, *Présence du cinéma,* n° 1, juin 59
« The darwinian world of Claude Chabrol », Ian Cameron, *Movie* n° 10, juin 63, en anglais
« Chabrol ou l'inconstance punie », Jean-Louis Comolli, *L'Avant-scène-Cinéma,* n° 92, mai 69
« Vers une métaphysique », Patrick Gaulier, *La Revue du Cinéma-Image et son,* n° 279, déc. 73
« Des ombres sans doute mais pas de pitié », Rainer Werner Fassbinder, 1975, « Les films libèrent la tête », *L'Arche,* 1985
« L'homme centre », Jean-Claude Biette, *Cahiers du cinéma,* n° 323-324, mai 81.
« La musique douce de Claude Chabrol », Joël Magny, *Cinéma 82,* n° 285

Les livres

Claude Chabrol, Robin Wood et Michael Walker, Studio Vista, Movie Paperbacks, en anglais

Claude Chabrol, Guy Braucourt, Ed. Seghers, Coll. « Cinéma d'aujourd'hui, 1971

Claude Chabrol, Peter W. Jansen, Wolfram Schütte, Carl Hanser Verlag, 1975, en allemand

Claude Chabrol, Angello Moscariello, La Nuova Italia, Il cas tora cinema, 1976, en italien

Claude Chabrol, Joël Magny, Ed. Cahiers du cinéma, coll. « Auteurs », 1987

En partie sur l'auteur :

Essai sur le jeune cinéma français, André S. Labarthe, Le Terrain Vague, 1960

La Nouvelle Vague, Jacques Siclier, Ed. du Cerf, Coll. « 7ᵉ Art », 1961

Le Cinéma en question, Jean Collet, Ed. du Cerf, Coll. « 7ᵉ Art », 1972

The New Wave, James Monaco, Oxford University Press, 1976, en anglais

Collection Rivages Cinéma

1. *Fritz Lang* par Frieda Grafe, Enno Patalas, Hans Helmut Prinzler.
2. *Alfred Hitchcock* par Bruno Villien.
3. *Orson Welles* par Joseph Mac Bride.
4. *Fassbinder* par Yaak Karsunke, Peter Iden, Wilfried Wiegand, Wolfram Schütte, Peter W. Jansen, Wilhelm Roth, Hans Helmut Prinzler.
5. *Wim Wenders* par Peter Buchka.
6. *Eric Rohmer* par Joël Magny.
7. *Joseph Mankiewicz* par N.T. Binh.
8. *Martin Scorsese* par Michel Cieutat.
9. *John Cassavetes* par Laurence Gavron et Denis Lenoir.
10. *François Truffaut* par Hervé Dalmais.
11. *Roman Polanski* par Dominique Avron.
12. *Steven Spielberg* par Jean-Pierre Godard.
13. *Robert Aldrich* par Michel Mahéo.
14. *Francis Ford Coppola* par J.P. Chaillet et C. Viviani.
15. *Nicholas Ray* par Jean Wagner.
16. *Jean Renoir* par Pierre Haffner.
17. *Billy Wilder* par Jérôme Jacobs.
18. *Alain Resnais* par Marcel Oms.
19. *Frank Capra* par Michel Cieutat.
20. *Woody Allen* par Jean-Phillippe Guerand.

Dans la même collection

TRUFFAUT
PAR HERVE DALMAIS
RIVAGES/CINEMA

HITCHCOCK
PAR BRUNO VILLIEN
RIVAGES/CINEMA

FASSBINDER
Y.KARSUNKE, P.IDEN, W.WIEGAND, W.SCHUTTE
P.W.JANSEN, W.ROTH, R.H.PRINZLER
RIVAGES/CINEMA

WIM WENDERS
PAR PETER BUCHKA
RIVAGES/CINEMA

ORSON WELLES
PAR JOSEPH McBRIDE
RIVAGES/CINEMA

JEAN RENOIR
PAR PIERRE HAFFNER
RIVAGES/CINEMA

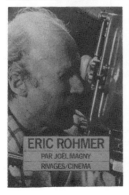

ERIC ROHMER
PAR JOËL MAGNY
RIVAGES/CINEMA

ROMAN POLANSKI
PAR DOMINIQUE AVRON
RIVAGES/CINEMA

SPIELBERG
PAR JEAN-PIERRE GODARD
RIVAGES/CINEMA

Achevé d'imprimer
le 28 février 1989
sur les presses de
l'Imprimerie A. Robert
116, bd de la Pomme - 13001 Marseille
pour le compte
des Editions Rivages
5-7, rue Paul-Louis Courier - 75007 Paris
10, rue Fortia - 13001 Marseille

Dépôt légal : mars 1989